VOCÊ É MAIS ESPERTO DO QUE PENSA?

EDITORA PENSAMENTO
São Paulo

VOCÊ É MAIS ESPERTO DO QUE PENSA?

Mais de **150 testes** para ajudá-lo a descobrir e explorar sua **inteligência natural**

CLAIRE GORDON

TRADUÇÃO DE HENRIQUE A. R. MONTEIRO E MARCELO B. CIPOLLA

EDITORA PENSAMENTO
São Paulo

PARA CHRIS E BETH, COM AMOR

Título do original: *Are You Smarter Than You Think?*

Copyright do texto © 2003 Claire Gordon

Copyright das ilustrações e compilação © 2003 Carroll & Brown Ltd.

Traduzido do livro originalmente produzido por Carroll & Brown Publishers Ltd., 20 Lonsdale Road, Queen's Park, London NW6 6RD.

Editor do projeto: Anna Amari-Parker.

Diretor de arte: Frank Cawley.

Todos os direitos reservados. Nenhuma parte deste livro pode ser reproduzida ou usada de qualquer forma ou por qualquer meio, eletrônico ou mecânico, inclusive fotocópias, gravações ou sistema de armazenamento em banco de dados, sem permissão por escrito, exceto nos casos de trechos curtos citados em resenhas críticas ou artigos de revistas.

O primeiro número à esquerda indica a edição, ou reedição, desta obra. A primeira dezena à direita indica o ano em que esta edição, ou reedição, foi publicada.

Edição	Ano
1-2-3-4-5-6-7-8-9-10-11	03-04-05-06-07-08-09-10-11

Direitos de tradução para o Brasil
adquiridos com exclusividade pela
EDITORA PENSAMENTO-CULTRIX LTDA.
Rua Dr. Mário Vicente, 368 — 04270-000 — São Paulo, SP
Fone: 272-1399 — Fax: 272-4770
E-mail: pensamento@cultrix.com.br
http://www.pensamento-cultrix.com.br
que se reserva a propriedade literária desta tradução.

Impresso pela Imago, China

Sumário

INTRODUÇÃO
O que é inteligência?	6
A inteligência: inata ou desenvolvida?	8
A teoria das inteligências múltiplas e suas implicações	10

INTELIGÊNCIA CONCEITUAL — 12
Raciocínio lógico	16
Raciocínio espacial	22
Raciocínio abstrato	28
Como avaliar e aumentar a sua inteligência conceitual	34

INTELIGÊNCIA NUMÉRICA — 36
Aritmética mental	40
Raciocínio numérico	46
Como avaliar e aumentar a sua inteligência numérica	52

INTELIGÊNCIA LINGÜÍSTICA — 54
O poder verbal	58
Comunicação	64
Expressão	70
Como avaliar e aumentar a sua inteligência lingüística	76

INTELIGÊNCIA EMOCIONAL	**78**
Relacionamentos a dois	**82**
Relacionamentos familiares	**88**
Relacionamentos sociais	**94**
Relacionamentos profissionais	**100**
Como avaliar e aumentar a sua inteligência emocional	**106**
INTELIGÊNCIA PESSOAL	**108**
Autoconsciência	**112**
Autocontrole	**118**
Emoções subjetivas	**124**
Como avaliar e aumentar a sua inteligência pessoal	**130**
INTELIGÊNCIA FÍSICA	**132**
Destreza manual	**136**
Coordenação	**140**
Equilíbrio	**144**
Reflexos	**148**
Flexibilidade	**152**
Como avaliar e aumentar a sua inteligência física	**156**
OUTROS TIPOS DE INTELIGÊNCIA	**158**
Inteligência criativa	**164**
Inteligência musical	**170**
Inteligência naturalista	**174**
Inteligência intuitiva	**178**
Como avaliar e aumentar a sua inteligência criativa e musical	**182**
Como avaliar e aumentar a sua inteligência naturalista e intuitiva	**184**
APÊNDICE 1:	
Qual é o seu estilo de aprendizado?	**186**
APÊNDICE 2:	
Mais informações sobre os testes	**188**
ÍNDICE REMISSIVO	**190**
AGRADECIMENTOS E CRÉDITOS	**192**

O que é INTELIGÊNCIA?

Faz quase um século que os psicólogos tentam, sem conseguir, chegar a uma definição única de inteligência. Não obstante, é essa a área da psicologia em que mais se fazem pesquisas. E não se trata de uma área de puro interesse acadêmico, pois a maioria das pessoas, em algum momento da vida, já teve de enfrentar algum teste de inteligência.

Certas espécies animais são naturalmente mais "espertas" do que outras. Os golfinhos, os cães e os macacos, por exemplo, podem todos ser treinados para cumprir tarefas que estão muito acima da capacidade de outras espécies, como as ovelhas e os peixes; e os seres humanos são mais inteligentes do que os mais sábios chimpanzés. A capacidade intelectual dos indivíduos humanos também varia.

Os psicólogos se dividem entre os que vêem a inteligência como uma única capacidade básica e geral e os que a crêem composta de diversos fatores distintos e separados. Intuitivamente, nós percebemos que certas pessoas têm mais aptidão intelectual, verbal, musical ou artística do que os que as rodeiam.

A inteligência, no sentido mais puro da palavra, é concebida como a capacidade cognitiva de compreender os acontecimentos e informações e processar essas informações racionalmente a fim de reagir de modo adequado ao que acontece à nossa volta. As teorias mais amplas da inteligência (como a teoria das inteligências múltiplas de Howard Gardner) vão além da pura capacidade cerebral e englobam a capacidade do cérebro de interagir com o corpo inteiro.

Nosso cérebro é a origem de todo pensamento e ação inteligentes. Um cérebro é composto de oito a dez bilhões de células nervosas, cada uma das quais tem de 1.000 a 10.000 ligações com outros neurônios. A característica peculiar do cérebro humano é que boa parte dessas ligações não é dedicada às funções físicas e fisiológicas, e por isso elas ficam "livres" e disponíveis para o aprendizado, a comunicação, o pensamento, a memória e o raciocínio.

O cérebro se divide em três camadas concêntricas:
- O núcleo central, que controla o equilíbrio, a fluidez do movimento dos músculos e os órgãos dos sentidos e regula o metabolismo;
- O sistema límbico, que trata da satisfação dos instintos e necessidades básicas;
- O cérebro propriamente dito, que registra as sensações e se dedica também ao processamento de funções mentais superiores, como as ações voluntárias, a tomada de decisões e a formulação de planos.

Muito embora cada área do cérebro tenha funções especializadas, as áreas interagem entre si. O grande cérebro envolve o núcleo central e o sistema límbico e é mais desenvolvido nos seres humanos do que em qualquer espécie animal. Sua camada exterior se chama córtex cerebral. É cheia de circunvoluções e o termo "massa cinzenta" nos foi sugerido pela sua cor. Ele se divide em dois hemisférios separados, perfeitamente simétricos na aparência, mas dotados de funções muito diferentes.

A visão, a audição, o tato, o olfato e o paladar são processados por áreas específicas do córtex cerebral, localizadas em ambos os lados do cérebro. O restante do córtex (cerca de três quartos dele) cuida da inteligência, da memória, do aprendizado e da linguagem, mas essas funções se localizam em hemisférios específicos.

De maneira geral, o hemisfério esquerdo controla a linguagem escrita e falada, o cálculo matemático e as atividades lógicas e analíticas complexas. O hemisfério direito tem capacidades lingüísticas e matemáticas limitadas, mas atinge a sua melhor forma na capacidade de apreensão espacial e no raciocínio não-verbal. É capaz de construir desenhos geométricos e feitos em perspectiva, bem como de identificar rostos e expressões faciais.

Na realidade, todas as partes do cérebro interagem entre si e o conjunto todo funciona como uma unidade integrada. O cérebro é um instrumento extraordinário e os seres humanos receberam o dom de uma inteligência muito superior à de todas as demais espécies. A oportunidade de aumentar ao máximo esse potencial está à sua frente e ao seu alcance.

O CÉREBRO HUMANO (SUPERFÍCIE E LINHA MÉDIA)

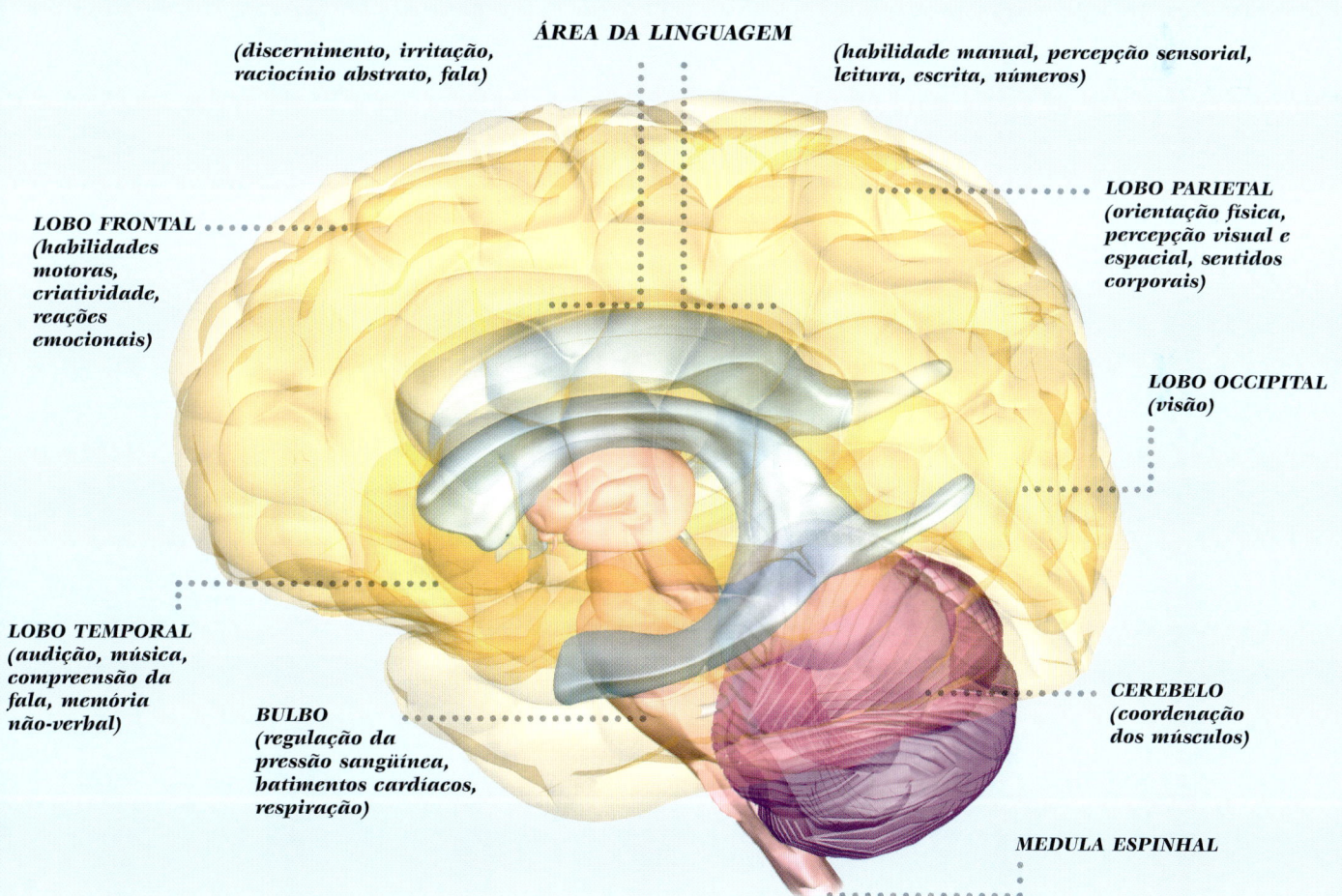

A INTELIGÊNCIA: inata ou desenvolvida?

Sabemos intuitivamente que os perfis de inteligência das pessoas são diferentes — algumas têm muita facilidade onde outras têm dificuldade e vice-versa. Um dos grandes debates da teoria da inteligência versa sobre a questão de saber se essas diferenças são devidas sobretudo à nossa constituição genética, e são portanto uma parte fixa da nossa natureza biológica, ou se são os fatores ambientais e a nossa criação que determinam em definitivo o nosso "saldo de inteligência".

A inteligência inata: os genes

Os genes, que são a matriz única e singular do nosso DNA, constituem um modelo permanente para todas as nossas funções corporais básicas e avançadas. Não podemos mudar o DNA — trata-se de uma combinação única formada a partir dos genes dos nossos pais. Os geneticistas crêem que essas unidades de hereditariedade são muito significativas para a determinação do nosso perfil de inteligência. Essa crença é corroborada por pesquisas que mostram que gêmeos idênticos (que têm o mesmo perfil de DNA e criação muito semelhante) têm mais probabilidade de marcar o mesmo número de pontos num teste de QI do que gêmeos não-idênticos (que, embora criados juntos, são geneticamente diferentes).

Esses argumentos a favor da teoria da inteligência genética já foram postos a serviço de causas más, como a promoção de teorias racistas de supremacia intelectual; e isso porque os fatores ambientais costumam ser desconsiderados pelos geneticistas, que se recusam a vê-los como os determinantes principais da baixa pontuação de QI verificada em certos grupos raciais. Não obstante, a grande maioria dos psicólogos não descarta os indícios em favor da importância do meio, tais como:

- Diferenças de desempenho escolar que podem ser praticamente eliminadas através de um trabalho intenso de acompanhamento;
- Um estudante de faculdade de nível médio que é capaz de aumentar em dez vezes a sua memória de curto prazo;
- Uma criança japonesa comum que se torna uma grande violinista usando o Método Suzuki.

Tanto o bom senso quanto as descobertas da ciência evidenciam o papel fundamental da criação e do meio ambiente.

A inteligência desenvolvida: o meio ambiente

Embora certas diferenças individuais sejam devidas à genética, o meio em que somos criados pode influenciar radicalmente o nosso potencial de inteligência. Os fatores ambientais influenciam não só as experiências que temos no útero materno como também as que temos depois de nascer. Fatores como o ambiente familiar em que somos criados, as mudanças de casa e de escola, a presença ou ausência nas aulas, a nutrição, os valores culturais e a saúde em geral — todos afetam a inteligência.

Existem programas que direcionam seus recursos para o auxílio de crianças pobres em idade pré-escolar. Esses programas demonstraram ter efeitos positivos significativos sobre o aproveitamento escolar posterior. Os que geram os melhores resultados são os que envolvem ao máximo a participação dos pais, que têm um papel essencial na formação da inteligência da criança.

Também as características pessoais podem afetar a inteligência. Um ambiente difícil pode fazer aumentar o QI, por exemplo, mas a pontuação pode cair de repente quando as circunstâncias mudam. Pode ser que as pessoas naturalmente mais inteligentes busquem situações que lhes apresentem desafios e que as encorajarão a tornar-se ainda mais inteligentes. A pontuação obtida nos testes de QI pode ser influenciada por fatores idiossincráticos, como o entusiasmo, a concentração, o nível de energia, a experiência anterior em situações de teste e a autoconfiança.

Como desenvolver a inteligência

Em conseqüência, ninguém jamais será capaz de dizer que a genética é mais importante do que a criação nem o contrário: ambas são igualmente importantes. Você talvez ache que nasceu dotado de um determinado grau de inteligência e que simplesmente tem de "se virar" com as possibilidades de que dispõe. Mas eis uma boa notícia: sua inteligência pode ser moldada, provada e aumentada por meio dos acontecimentos e experiências do dia-a-dia, desde que você se disponha a trabalhar para isso.

Existem diferenças individuais nos perfis intelectuais de crianças e adultos. Mesmo que membros diversos da mesma família recebam uma criação e uma estimulação de constante alta qualidade, ainda se constatarão neles pontos fortes e pontos fracos diferentes. Os cientistas ainda têm muito o que aprender. Têm de descobrir quais são os fatores da inteligência, o que mais a influencia e o que quase não a influencia. Sem dúvida alguma, no futuro próximo, você voltará a ouvir falar de como as qualidades inatas e a influência do meio trabalham juntas para moldar o cérebro e a inteligência humana.

A teoria das inteligências MÚLTIPLAS

Segundo a opinião mais generalizada até o começo da década de 1980, só existe um tipo de inteligência, que permanece no mesmo nível desde o nascimento até a morte. Esse ponto de vista foi contestado pelo professor Howard Gardner, formado em Harvard, num livro pioneiro chamado *Frames of Mind: The Theory of Multiple Intelligence,* (1983). O livro teve um efeito tremendo sobre o meio acadêmico, o meio pedagógico e o público em geral. Depois de extensas pesquisas, Gardner concluiu que existem pelo menos seis tipos de inteligência que podem ser desenvolvidas em separado, pondo em cheque a idéia de que toda a inteligência pode (e deve) ser resumida numa única pontuação de QI. A natureza abrangente e positiva de sua teoria contribuiu para a sua duradoura pertinência e popularidade.

O que são as inteligências múltiplas?
É muito provável que você já se tenha deparado com estes dois conceitos "principais" de inteligência, pois são medidos na escola sob a forma do QI:
● Numérica — a capacidade de usar eficientemente os números, de deduzir, raciocinar e aplicar a lógica;
● Lingüística — a capacidade de usar eficientemente as palavras na fala ou na escrita.

Existem também algumas "extensões" mais especializadas:
● Musical — a capacidade de perceber, transformar e expressar formas musicais;
● Espacial — a capacidade de reconhecer e manipular objetos ou imagens no espaço;
● Física — a perícia corporal necessária para mover o corpo a fim de expressar-se ou produzir objetos.

Existe, por fim, uma última categoria, a que mais destoa da teoria geral da inteligência:
● Pessoal — a capacidade de compreender e administrar os próprios sentimentos e os sentimentos alheios.

Gardner sempre afirmou que, embora inicialmente só tivesse descoberto seis tipos de inteligência que atendessem aos seus critérios científicos, provavelmente haveria outros tipos. Daquela época para cá, postulou também a existência de uma inteligência naturalista, por exemplo, a qual definiu como a capacidade de reconhecer e classificar animais, vegetais e outros fenômenos naturais.

Neste livro, alguns tipos de inteligência foram divididos em subcategorias para que os leitores possam explorar de modo mais completo certas facetas específicas: a

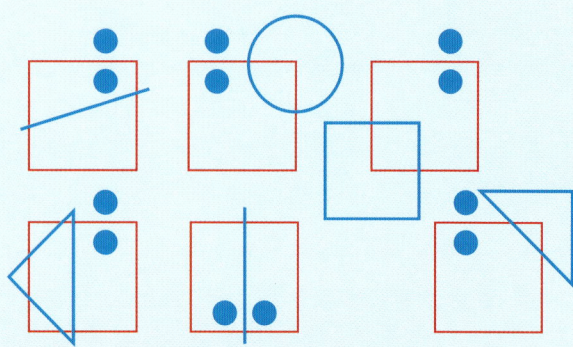

inteligência conceitual e a inteligência matemática, por exemplo, são tratadas em capítulos separados; seguindo a teoria da inteligência emocional, a inteligência pessoal foi subdividida em *inter*pessoal e *intra*pessoal.

O que é a teoria das inteligências múltiplas?

Todo indivíduo possui em algum grau os sete tipos de inteligência. Todos nós temos, por exemplo, algum grau de capacidade musical — alguns são tão dotados sob esse aspecto que são realmente capazes de compor música, ao passo que outros só têm uma apreciação pelo ritmo.

Quase todas as pessoas são capazes de atingir um nível respeitável de competência em cada uma das inteligências, desde que recebam os estímulos e instruções adequados. Segundo a teoria das inteligências múltiplas, você não é obrigado a permanecer fixo no perfil de inteligência com o qual nasceu. Uma vez que seja capaz de identificar os seus pontos fortes, poderá empregá-los em seu favor na busca pessoal de aperfeiçoamento, conhecimento e desenvolvimento.

Existem muitas maneiras de empregar eficientemente cada um dos tipos de inteligência. Sua inteligência lingüística pode fazer de você um incrível contador de histórias, mas nem por isso é necessário que você saiba ler. Você pode ser péssimo nos esportes, mas um grande escultor. Os diversos tipos de inteligência interagem de maneira complexa e não permanecem isolados uns dos outros: um jogador profissional de futebol, por exemplo, precisa não só da inteligência física, mas também da inteligência espacial para coordenar os movimentos corporais, dominar a bola e acertar os passes.

O que tudo isso significa?

A teoria das inteligências múltiplas (TIM) vai além da identificação de um perfil psicológico ou de capacidades intelectuais. Reconhece que, embora todos nós tenhamos pontos fortes e pontos fracos, podemos nos aperfeiçoar se trabalharmos estes últimos. Um dos aspectos mais positivos da TIM é o papel que pode desempenhar nos processos de ensino e aprendizado. Certas escolas adotaram a TIM e ensinam as matérias de forma a desenvolver as capacidades individuais das crianças. Quando uma classe está aprendendo sobre o presidente Abraham Lincoln, por exemplo, pode-se solicitar aos alunos que componham uma canção sobre ele (usando a inteligência musical), escrevam uma peça de teatro sobre os acontecimentos da sua vida (estimulando a inteligência lingüística), representem em grupo esses acontecimentos (ativando a inteligência física) ou façam um desenho com notas explicativas (estimulando a inteligência espacial).

Na idade adulta, a fim de aumentar ao máximo as nossas oportunidades de aprendizado, nós usamos nossos pontos fortes para obter conhecimento; e a TIM nos oferece as ferramentas necessárias para tal. Imagine que você queira aprender a trabalhar com um novo programa de computador. Se for dotado de inteligência lingüística, poderá ler o manual; ou, contando com a sua inteligência pessoal, poderá pedir a um colega que lhe dê uma demonstração prática. Poderá ainda esboçar um fluxograma das telas pelas quais precisará navegar, lançando mão de suas aptidões espaciais.

Cada pessoa é dotada de um ou outro tipo de inteligência e precisa desenvolver as suas inteligências potenciais, de tal modo que possa implementar na vida cotidiana um modo de aprendizado e de conduta que seja condizente com os seus pontos fortes.

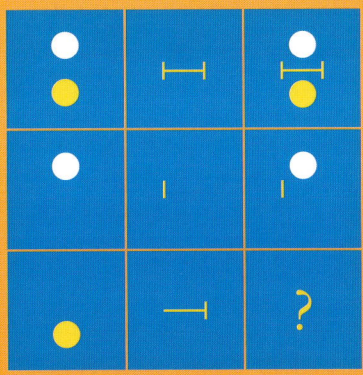

INTELIGÊNCIA

CONCEITUAL

O que é inteligência conceitual?

Todas as pessoas organizam seus pensamentos de acordo com alguma espécie de lógica. Usamos o raciocínio para associar nossas observações, deduzir possibilidades futuras e planejar as nossas ações. Se o céu está encoberto, a experiência o leva a concluir que pode chover. Como não quer se molhar, você sai de capa ou guarda-chuva. Muito embora não tivesse consciência dos processos de pensamento que o levaram a essa conclusão, você trabalhou a situação em seu pensamento. Esse "trabalho do pensamento" é obra da pura inteligência conceitual, que se subdivide nos raciocínios lógico, espacial e abstrato.

Raciocínio lógico

As crianças começam a desenvolver o verdadeiro pensamento lógico por volta dos 7 anos de idade, e certos experimentos científicos demonstraram que as crianças de 2 ou 3 anos já são capazes de ordenar e classificar objetos, mesmo que seja somente por cor e tamanho. O raciocínio lógico dos adultos amplia essa capacidade e chega ao grau do pensamento hipotético, da consideração de possibilidades e de outros pontos de vista, e da ordenação ou avaliação de pensamentos, idéias e informações. A experiência de vida é muitas vezes um fator útil,

pois a capacidade de questionar e desenvolver o conhecimento que você já possui é fundamental; e os testes de raciocínio lógico costumam fazer uso de símbolos aleatórios dispostos em determinados padrões ou seqüências. Isso aumenta a imparcialidade dos testes, pois todos trabalham com materiais desconhecidos.

Raciocínio espacial

Três aptidões correlatas — reconhecer e manipular mentalmente os objetos tridimensionais a partir de diversos ângulos, gerar e alterar imagens mentais e produzir semelhanças gráficas dos objetos — são englobadas pelo raciocínio espacial. Esses processos foram empregados no decorrer da história tanto pelos artistas quanto pelos cientistas: o exemplo máximo é o de Leonardo da Vinci, artista renascentista cujos inovadores desenhos anatômicos e científicos são indícios incontestáveis do seu fenomenal gênio espacial.

Raciocínio abstrato

Considerada uma das formas mais imparciais de avaliação da inteligência, a capacidade de identificar padrões e relações entre objetos não depende de nenhuma experiência anterior — mesmo no caso dos números, aparentemente tão universais. A capacidade de raciocinar com conceitos abstratos é considerada uma das formas mais elevadas (e, logo, uma das mais difíceis) da lógica e da ciência. O raciocínio abstrato normalmente envolve um alto grau de atividade mental criativa, comandada pelo hemisfério direito do cérebro. Essa atividade identifica um padrão ou uma ordem existente e antecede a aplicação de processos lógicos de pensamento, comandados pelo hemisfério cerebral esquerdo.

Por que a inteligência conceitual é importante?

Os seres humanos se distinguem dos animais pelas capacidades de raciocinar, pensar logicamente e fazer deduções. Essas capacidades nos habilitaram a influenciar, administrar e transformar a tal ponto o mundo que nos rodeia que a importância do raciocínio na vida cotidiana fez da inteligência conceitual um indicador e uma medida do QI.

As pessoas dotadas de um alto grau de inteligência conceitual são naturalmente inclinadas à apreciação artística; são capazes de visualizar e manipular objetos tridimensionais com facilidade; gostam de resolver quebra-cabeças e imaginar ou encontrar o caminho de saída de labirintos. Percebem com prontidão as relações espaciais entre os objetos físicos. Do mesmo modo, têm aptidão para resolver problemas, classificar e categorizar informações, trabalhar com conceitos abstratos a fim de descobrir as relações que os unem, projetar e conduzir experimentos, questionar e descobrir as leis que regem os acontecimentos naturais. São pessoas que, na escola, se dão bem em matérias como geografia ou geometria e tendem a brilhar nas artes visuais, como a fotografia, a escultura e a arquitetura. Outros exemplos de profissões adequadas para aqueles que se destacam neste tipo de inteligência: programação de computadores, desenho industrial, vários ramos da ciência, pesquisa, direito e medicina.

INTELIGÊNCIA CONCEITUAL

Você é capaz de pensar com lógica?

A LÓGICA É A CAPACIDADE de elaborar e identificar padrões a partir de fragmentos isolados de informação. Costuma-se relacioná-la ao pensamento científico. É uma capacidade altamente valorizada pelo nosso sistema educacional e pela cultura ocidental como um todo.

Pode ser medida teoricamente, sem o uso da linguagem verbal ou de símbolos dotados de significado. Assim, a pessoa que faz o teste é obrigada a empregar a lógica em seu sentido mais puro. Mas e o raciocínio lógico na vida real? Que vantagens tem uma pessoa que sabe pensar dedutivamente, usando a razão?

A essência da capacidade lógica está na capacidade de resolver problemas. Cada pessoa, em cada dia de sua vida, se depara com vários problemas. Para resolver esses "problemas", que vão desde a administração de uma agenda apertada até o planejamento de um casamento ou de uma festa, você segue uma série de pensamentos seqüenciais até chegar a uma solução. A faculdade racional permite que você organize esses pensamentos em etapas lógicas.

É fácil pensar com lógica quando se está tranqüilo; mas, na vida real, muitas vezes temos de tomar decisões rapidamente quando estamos tensos e sob pressão. A "filtragem" desses fatores emocionais nos ajuda a tomar decisões mais objetivas e bem fundamentadas, tanto no trabalho quanto em casa.

QUAL É A SUA REAÇÃO?

Depois de jantar com alguns amigos, você volta sozinho ao estacionamento, que está deserto, e encontra seu carro com os pneus retalhados, as janelas quebradas e sem o aparelho de som. Como você se sentiria se estivesse de fato nessa situação? Ponha as seguintes atividades na ordem em que você as realizaria:

A. Chamar o guincho.

B. Participar o acontecido à companhia de seguros.

C. Fazer uma lista das coisas roubadas.

D. Voltar ao restaurante e pedir ajuda.

E. Telefonar à polícia para relatar o incidente.

F. Chamar um táxi e ir para casa.

G. Tirar do carro as coisas de valor que ainda estão lá.

RESPOSTAS E INTERPRETAÇÕES

EXCELENTE

Se você dispôs as atividades na ordem D-C-G-F-E-B-A ou numa ordem semelhante, isso prova que é dotado de excelente capacidade de raciocínio lógico, mesmo quando está sob forte pressão emocional. É capaz de usar estratégias eficazes para resolver problemas, como compreender a situação de trás para diante e dividir o problema em partes menores e mais fáceis de administrar. Tende a brilhar nos ambientes em que é importante saber pensar com lógica e manter a cabeça fria. É dotado de uma boa capacidade de comando, que pode ser aplicada tanto no trabalho quanto na vida pessoal.

MÉDIA

Se você pensou no que era mais prático e entendeu todas as tarefas, mas teve dificuldade para estabelecer prioridades e racionalizar seus processos de pensamento, é porque é dotado de uma capacidade média de raciocínio lógico e se deixou distrair pela natureza emotiva do teste. Pode alcançar o sucesso numa carreira onde a lógica e as emoções funcionem em harmonia.

Sua primeira providência deve ser a de proteger-se: não deve procurar lidar sozinho com a situação [D].

A segunda providência deve ser a de proteger seus bens; assim, volte ao carro acompanhado de uma pessoa conhecida e de confiança, faça uma lista para apresentar à companhia de seguros [C] e retire do carro todos os objetos de valor [G].

Chame um táxi e vá para casa [F]; ao chegar, comece a procurar os papéis e documentos de que vai precisar.

Sua terceira providência deve ser a de tomar as medidas necessárias. Entre em contato com a polícia e relate o ocorrido, fornecendo-lhe o seu nome, a placa do carro e o local da ocorrência [E].

Ligue para a companhia de seguros a fim de relatar o acontecido [B].

Faça o que for preciso para retirar o carro da cena do crime e levá-lo a uma oficina para ser conservado [A].

⭐ Para melhorar

1. Imagine que você queira decorar uma sala. Ponha em ordem as atividades que você empreenderia e diga o porquê dessa ordem. Por exemplo, o que você pintaria primeiro — as paredes ou o teto? Em que momento instalaria o novo carpete?

2. Compre um modelo de montar e, *antes* de ler as instruções, procure descobrir a ordem em que as peças devem ser montadas. Depois, consulte o manual para verificar o grau de exatidão das suas previsões visuais.

Você pode identificar padrões e seqüências?

As escolas e empresas, em seus processos de seleção, costumam avaliar a capacidade de raciocínio lógico dos candidatos a alunos ou empregados. Nos testes aqui apresentados, símbolos visuais são usados para apresentar padrões e seqüências específicas. Muitas situações reais envolvem símbolos reconhecíveis. Se você compra ou aluga um carro, por exemplo, é muito provável que seja capaz de adivinhar como operar os controles do painel (para ligar o ar-condicionado, por exemplo) sem ter de antes ler o manual do automóvel. Você sabe que o controle do ar é indicado pelo desenho de um sol e que as cores vermelho e azul significam respectivamente quente e frio; e sabe disso porque aprendeu a reconhecer esse padrão de símbolos em outros lugares, como nas torneiras de água quente e fria, por exemplo. A percepção de semelhanças e a transferência de conhecimentos já existentes são manifestações de pensamento lógico.

A capacidade de pensar com lógica é uma grande vantagem nas situações tensas, nas situações que sempre se repetem e na resolução de problemas. Imagine que você chega em casa e encontra a cozinha inundada. Primeiro você tentaria descobrir a causa do vazamento e depois pensaria no que fazer. Deixou a torneira aberta ou a máquina de lavar louças ligada? Um cano se rompeu? O trabalho de avaliar uma seqüência de decisões o obriga a procurar os padrões necessários para resolver o problema.

VOCÊ TEM UM BOM RACIOCÍNIO LÓGICO?

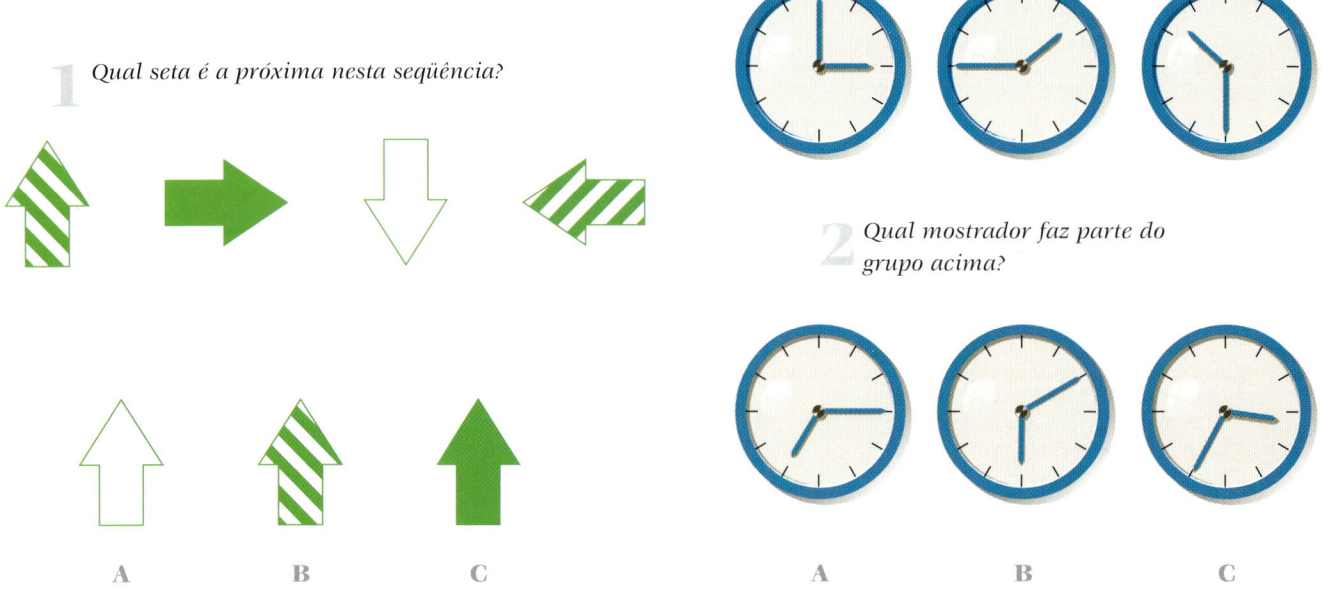

1 Qual seta é a próxima nesta seqüência?

A   B   C

2 Qual mostrador faz parte do grupo acima?

A   B   C

RACIOCÍNIO LÓGICO

3 Qual é o símbolo que falta?

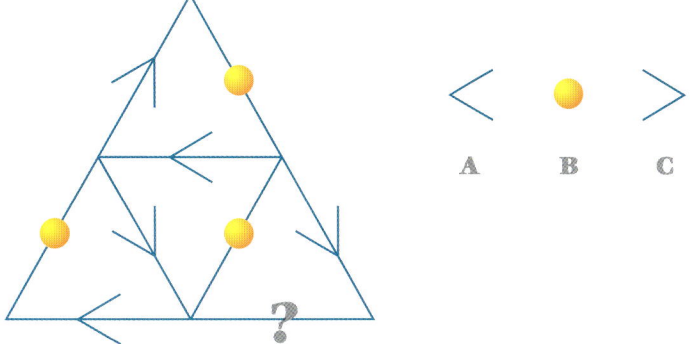

4 Se você aperta ALT + A no teclado, BC aparece na tela. O que vai aparecer se você apertar ALT + 1?

A 12   B 2   C 23

5 Qual a carta que falta para completar a mão?

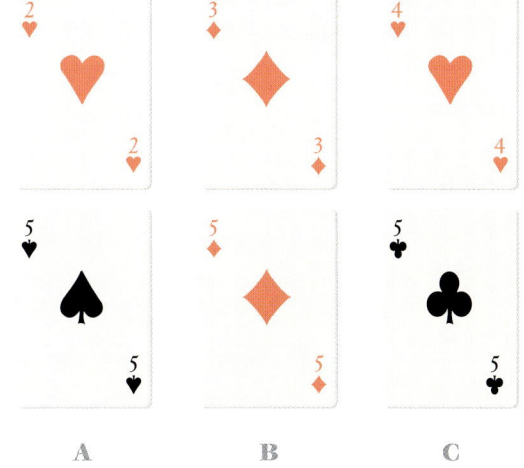

RESPOSTAS E INTERPRETAÇÕES

Marque 1 ponto para cada resposta correta. Pontuação máxima = 5

1. C
2. A
3. A
4. C
5. B

3 pontos ou menos — você tem uma capacidade média de raciocínio lógico, gosta de atividades criativas e provavelmente vê a lógica como uma camisa-de-força para a mente. Para aumentar o rigor do seu pensamento, procure levar uma idéia plenamente formada à sua conclusão lógica.

4 pontos ou mais — você tem uma capacidade excelente de raciocínio lógico, distingue as informações importantes das que não o são, sabe estabelecer seqüências visuais e é muito bom para planejar ou projetar atividades administrativas, como mudar de casa ou organizar uma festa.

⭐ Para melhorar

1. Pegue uma história em quadrinhos do jornal ou de uma revista, recorte-a em quadrinhos individuais, embaralhe-os e disponha-os numa seqüência lógica.

2. Crie seqüências e padrões com palavras. Escreva uma palavra de duas letras, como "de" ou "ao", e acrescente de cada vez uma letra para formar uma nova palavra. Por exemplo: "ia", "tia", "tira", "tripa", "pátria" e "partida".

3. Encontre um padrão gráfico ou visual — listras, por exemplo — em sua roupa, em sua casa ou na paisagem que você vê pela janela. Por escrito, identifique cinco de suas características fundamentais. É retilíneo ou ondulado, horizontal ou vertical? Que cores contém? É geométrico?

Qual o seu hemisfério cerebral predominante?

Existem dois estilos de pensamento lógico e resolução de problemas, os quais refletem o respectivo modo de operação dos dois hemisférios do cérebro: o hemisfério esquerdo é analítico e se concentra nos detalhes, ao passo que o direito se especializa no pensamento lateral e criativo. Existe uma ligação entre os hemisférios, mas, em cada momento, é em geral um dos dois hemisférios que domina o modo de pensar da pessoa.

A maioria das profissões exige um equilíbrio ou uma combinação dos dois estilos de pensamento. A advocacia é um exemplo perfeito desse processo em operação: quando prepara uma defesa, o advogado tem de usar predominantemente o hemisfério cerebral esquerdo para analisar a situação do cliente e coligir sistematicamente o material necessário para defendê-lo, sem desprezar quaisquer fatos que possam ser usados pela acusação. Depois, tem de lançar mão do hemisfério cerebral direito para reagir às novas provas e testemunhos apresentados durante o processo e para apresentar criativamente a defesa perante o juiz e o júri, sem deixar, durante todo esse tempo, de insistir na essência do argumento que escolheu. Do mesmo modo, durante o processo, o júri tem de aplicar uma combinação de estilos de pensamento: deve conservar a mente aberta enquanto ouve as provas e argumentos apresentados durante as audiências, e deve aplicar o raciocínio e o pensamento lógico para chegar por fim a um veredicto.

O QUE VOCÊ RESPONDE?

Escolha as respostas que melhor descrevem o seu modo de ser.

1. Quando me visto de manhã:
a) Uso as roupas limpas que deixei cuidadosamente arrumadas na noite anterior.
b) Decido o que vou vestir de acordo com o meu humor ao acordar ou simplesmente pego as roupas limpas que estão mais à mão.

2. Quando saio com os amigos:
a) Gosto de ir a lugares que já conheço e onde geralmente me divirto.
b) Prefiro ir a lugares novos, aonde nunca fui.

3. No trabalho, minha escrivaninha:
a) É bem arrumada, com todas as coisas perfeitamente arquivadas e organizadas.
b) É coberta de papéis, de modo que tudo esteja sempre à mão quando eu precisar.

4. Às sextas-feiras:
a) Gosto de já estar com o fim de semana planejado e de ficar na expectativa do que vou fazer.
b) Gosto de deixar o fim de semana livre e espontâneo.

5. Posso dizer que meus passatempos:
a) Exigem concentração, pesquisa e análise.
b) Exigem criatividade, imaginação e espontaneidade.

⭐ Para melhorar

1. Se o seu hemisfério cerebral predominante é o esquerdo, faça um "livro das emoções". Colecione imagens e objetos que o toquem: uma pena, uma folha, um recorte de revista. Cole-os num caderno e dê uma olhada em toda a sua coleção. Como você se sente? O estabelecimento de um vínculo emocional — e não lógico — entre os objetos ajuda a desenvolver a atividade cerebral direita.

2. Se o seu hemisfério cerebral predominante é o direito, pegue um jornal. Feche os olhos. Ponha seu dedo indicador sobre uma palavra qualquer. Escreva-a. Repita o processo até chegar a dez palavras. Invente uma historieta em torno dessas 10 palavras, tais e quais estão escritas. O fato de usar palavras escolhidas ao acaso ajuda a desenvolver a atividade cerebral esquerda.

RESPOSTAS E INTERPRETAÇÕES

Mais respostas a do que b — você tende a exercitar mais o hemisfério cerebral esquerdo e, para resolver problemas, prefere avaliar informações e fatos antes de tomar uma decisão. Suas principais desvantagens são a resistência às novas idéias e a potencial repressão da criatividade, pois julga as idéias antes de estarem plenamente formadas.

Mais respostas b do que a — você tende a exercitar mais o hemisfério cerebral direito e resolve os problemas de modo criativo e flexível para chegar a muitas soluções possíveis. Sua principal desvantagem é que os detalhes o aborrecem e você tende a querer atacar logo o próximo desafio sem ter resolvido os anteriores.

Tantas respostas a quanto b — sua atividade cerebral é centrada e ambos os lados operam em equilíbrio. Essa elasticidade mental o habilita a aplicar quer uma abordagem analítica, quer uma criativa. Pode ser, porém, que você não seja nem suficientemente sistemático nem suficientemente imaginativo, o que pode limitar a profundidade da sua compreensão ou a sua capacidade de passar de uma decisão analítica para uma criativa e vice-versa.

OS DOIS HEMISFÉRIOS DO CÉREBRO
(vistos de baixo)

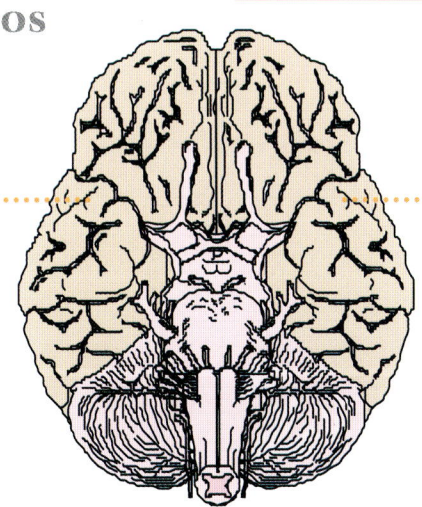

O hemisfério direito é associado à construção espacial, à criatividade não-verbal e ao processamento visual, mas não tem regiões especializadas.

O hemisfério esquerdo é associado à função lingüística, à fala e à capacidade de escrever e de entender palavras escritas, e desempenha papel essencial na elaboração de cálculos matemáticos e deduções lógicas.

INTELIGÊNCIA CONCEITUAL

Você é capaz de visualizar em duas dimensões?

O RACIOCÍNIO ESPACIAL nos permite entender o nosso mundo móvel e mutável. Depende da capacidade de manipular mentalmente os objetos bidimensionais e de reconhecer um objeto ou uma forma vistos de diversos ângulos. Os projetistas gráficos usam esta capacidade para criar livros ou revistas; o mesmo fazem os cortadores de moldes de costura quando traduzem os desenhos de moda para moldes de papel. O raciocínio espacial bidimensional é necessário para entender um mapa, pois a orientação do mapa muitas vezes é diferente da direção na qual você quer ir. A capacidade de "girar" o mapa na imaginação ajuda você a chegar ao seu destino de modo mais rápido e eficiente.

TESTE SEU RACIOCÍNIO ESPACIAL

1 Qual destas formas não faz parte do desenho?

2 Qual é a próxima figura nesta seqüência?

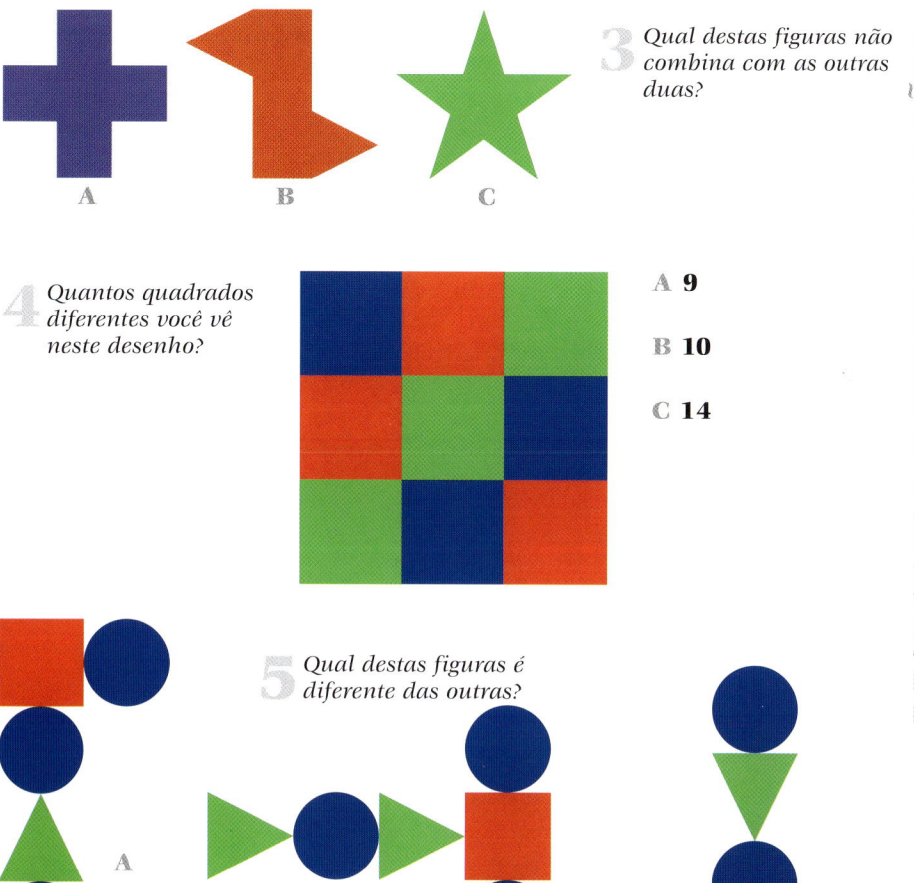

3 Qual destas figuras não combina com as outras duas?

4 Quantos quadrados diferentes você vê neste desenho?

A 9
B 10
C 14

5 Qual destas figuras é diferente das outras?

RESPOSTAS E INTERPRETAÇÕES

Marque 1 ponto para cada resposta correta.
Pontuação máxima = 5

1. B
2. A
3. B
4. C
5. B

3 pontos ou menos — você é dotado de uma capacidade média de raciocínio espacial e provavelmente enfrentou certa dificuldade para resolver estes problemas. Para melhorar, procure ler algumas palavras de cabeça para baixo, usando a orientação mental ou imaginando as letras corretamente posicionadas.

4 pontos ou mais — você é dotado de excelente capacidade de raciocínio espacial e, de todos os seus sentidos, o que você mais gosta de usar é a visão. Tente desenvolver ainda mais o seu talento adotando um hobby visual, como a fotografia.

⭐ Para melhorar

1. Pegue lápis e papel, sente-se numa das extremidades de uma sala e desenhe o que você vê. Faça o mesmo na extremidade oposta, de modo a ter esboços da sala a partir dos dois pontos de vista.

2. Na próxima vez em que você for andar ou dirigir até um lugar desconhecido, use um mapa em vez de pedir orientação ou pegar o caminho mais longo através de ruas já conhecidas.

3. Crie o seu próprio quebra-cabeça. Desenhe uma imagem de sua escolha, acrescente-lhe cores, corte-a em vários pedaços (pelo menos 10), embaralhe-os e monte-os.

Você é capaz de visualizar em três dimensões?

Dos programas interativos ao ato de dirigir em alta velocidade, as exigências que agora se impõem à nossa percepção visual e espacial estão mudando e aumentando cada vez mais. O raciocínio espacial tridimensional envolve os atos de visualizar um objeto, manipulá-lo mentalmente no espaço e imaginar o resultado dessa manipulação. A arquitetura é uma das profissões que exigem essa capacidade: os desenhistas elaboram na mente diversas versões tridimensionais dos edifícios, vistos de diferentes ângulos, antes de sentar-se para desenhar as plantas bidimensionais durante a fase de projeto. Também os projetistas de video game elaboram representações mentais tridimensionais dos mundos contidos nos jogos que desenvolvem. São capazes de moldá-las e alterá-las a fim de produzir cenas e resultados continuamente novos e interessantes para os jogadores.

Este tipo de raciocínio é usado pela maioria das pessoas quando objetos tridimensionais e bidimensionais se entrecruzam na vida cotidiana. Pode vir a calhar quando você tenta encontrar uma loja num shopping center, quando tenta chegar a uma vaga vislumbrada no outro lado do estacionamento ou quando tenta se localizar num andar desconhecido de um edifício de escritórios.

PROVE SUA CAPACIDADE

1 Qual destes objetos tridimensionais pode ser feito a partir deste desenho bidimensional?

2 Qual destas figuras não combina com a figura ao lado?

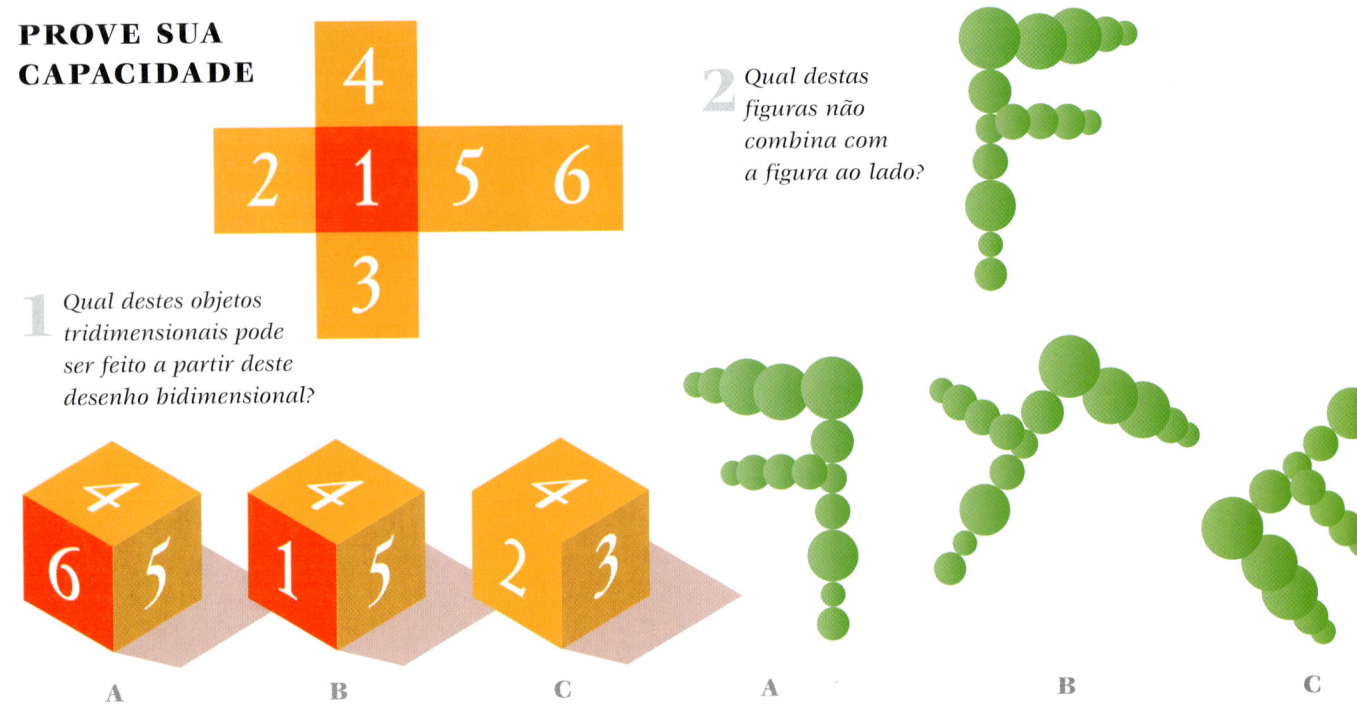

RACIOCÍNIO ESPACIAL

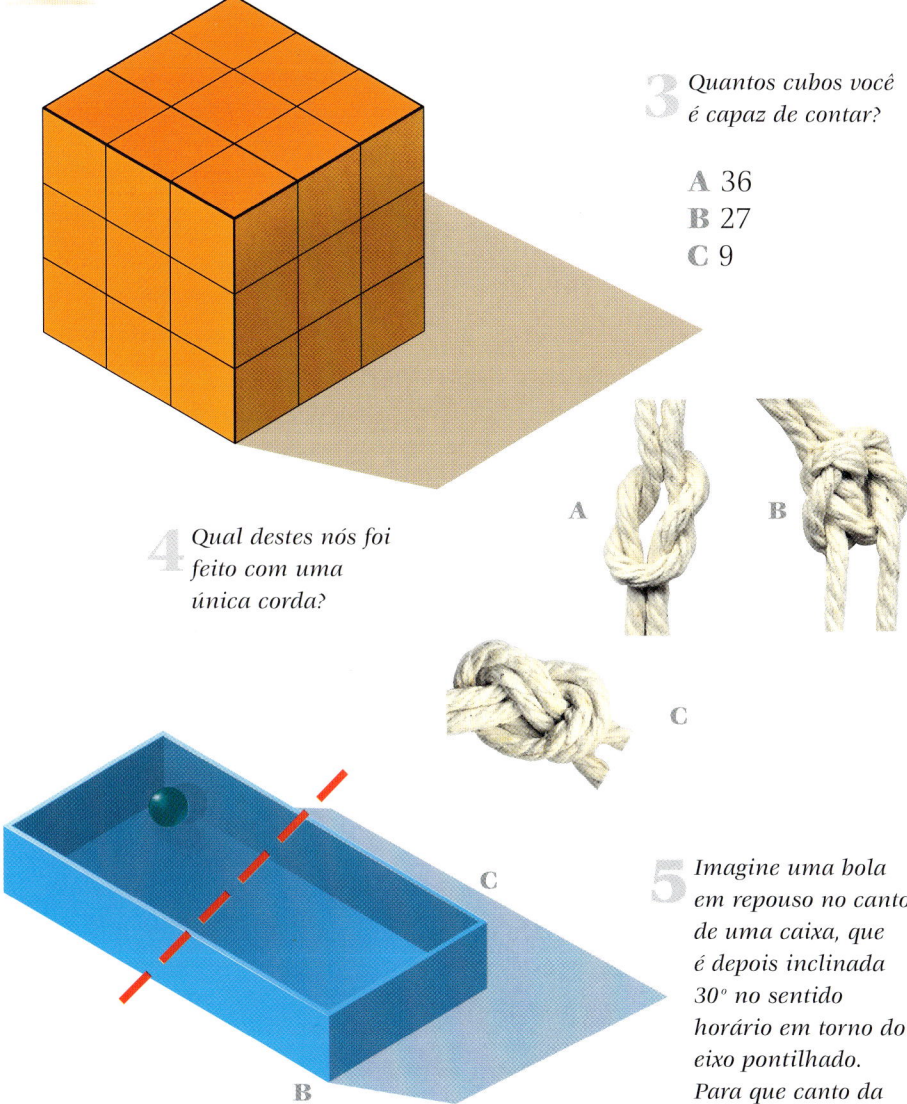

3 Quantos cubos você é capaz de contar?

A 36
B 27
C 9

4 Qual destes nós foi feito com uma única corda?

5 Imagine uma bola em repouso no canto de uma caixa, que é depois inclinada 30° no sentido horário em torno do eixo pontilhado. Para que canto da caixa iria a bola?

⭐ Para melhorar

1. Construa uma caixa com uma folha de cartolina. Depois, faça um envelope com uma folha de papel.
2. Imagine com a máxima exatidão o caminho que você faz para chegar todos os dias de casa até o trabalho. Imagine todas as esquinas em que tem de virar, todos os pontos de referência pelos quais passa, todas as portas que tem de cruzar.

RESPOSTAS E INTERPRETAÇÕES

Marque 1 ponto para cada resposta correta. Pontuação máxima = 5

1. B
2. B
3. A
4. C
5. C

3 pontos ou menos — você é dotado de uma capacidade média de raciocínio espacial tridimensional, é capaz de se orientar relativamente bem e de ensinar alguém a chegar em algum lugar quando necessário. Provavelmente, você acha mais fácil manipular mentalmente um objeto quando ele se encontra à sua frente.

4 pontos ou mais — você é dotado de uma capacidade excelente de raciocínio espacial tridimensional e é capaz de visualizar e manipular objetos a partir de diversos ângulos em sua mente. Consegue criar objetos tridimensionais na imaginação.

Você é capaz de mudar de dimensão?

O MÉTODO DETERMINANTE para a avaliação do raciocínio espacial gira em torno da transformação de planos bidimensionais em objetos tridimensionais, e da capacidade de reduzir os objetos tridimensionais a suas figuras bidimensionais. O incremento desta capacidade pode de fato mudar a sua vida: será facílimo montar um móvel ou um gabinete de cozinha e você não levará mais de dois minutos para instalar o seu fax. Essas tarefas envolvem a interpretação de instruções bidimensionais para criar ou fazer funcionar objetos tridimensionais.

Hoje em dia, muitas profissões — sobretudo aquelas em que se lida com projetos — dependem da capacidade de mudar as dimensões dos objetos. Os desenhistas de moda criam formas em tecido a partir de desenhos para dar vida às imagens mentais tridimensionais das suas criações. Os especialistas em planejamento urbano navegam com toda a facilidade entre os mapas bidimensionais e seus planos mentais tridimensionais das paisagens urbanas. E os controladores de tráfego aéreo raciocinam espacialmente, passando de dimensão a dimensão, uma vez que os pontos móveis nas telas de seus computadores representam a trajetória de aviões de verdade, que têm de ser direcionados com todo o cuidado para garantir a segurança dos passageiros e da tripulação.

DESAFIE SEU RACIOCÍNIO ESPACIAL

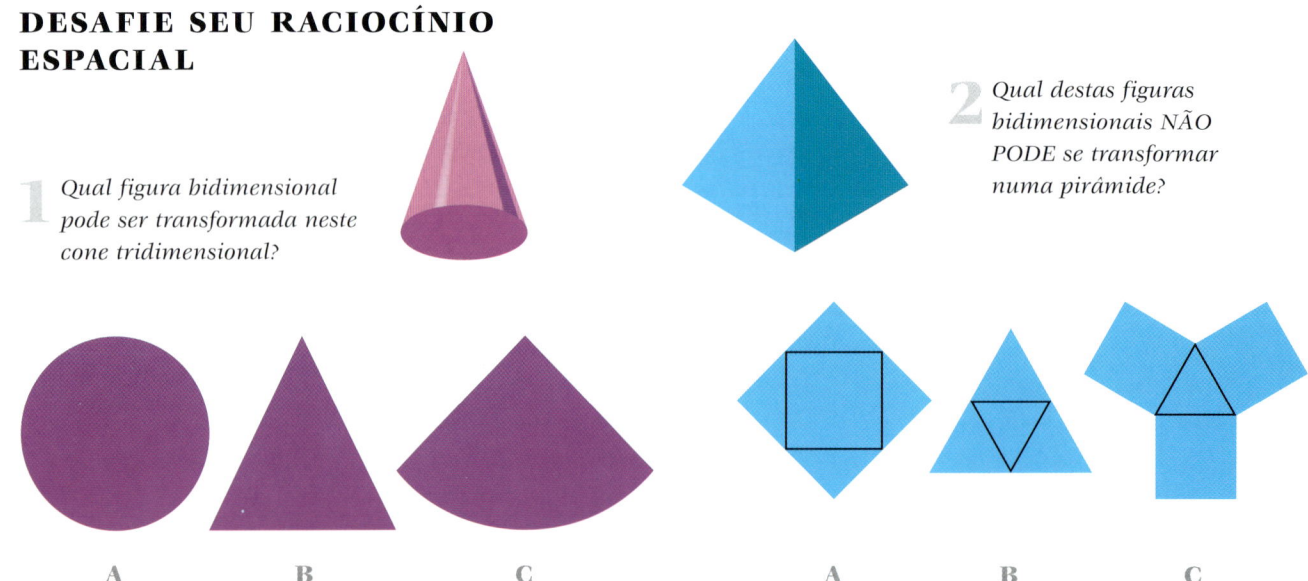

1 Qual figura bidimensional pode ser transformada neste cone tridimensional?

2 Qual destas figuras bidimensionais NÃO PODE se transformar numa pirâmide?

RACIOCÍNIO ESPACIAL

3 Em que ordem teriam de ser postas estas tiras para formar esta bola de praia?

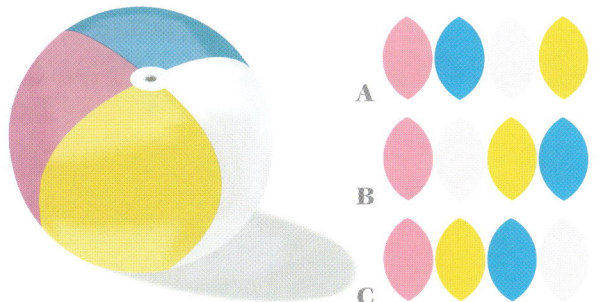

4 Que figura seria construída a partir das seguintes instruções:

Monte A num ângulo reto em relação a B.
Depois, monte C num ângulo reto em relação a D.
Depois, monte A num ângulo reto em relação a C.

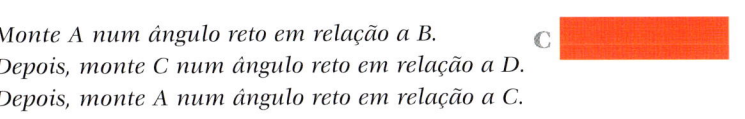

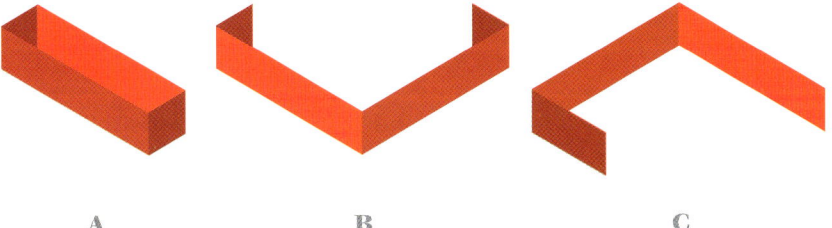

5 Qual destes desenhos bidimensionais formaria este objeto?

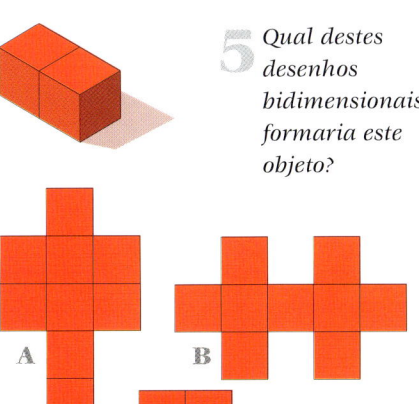

RESPOSTAS E INTERPRETAÇÕES

Marque 1 ponto para cada resposta correta. Pontuação máxima = 5

1. C
2. C
3. A
4. B
5. C

3 pontos ou menos — Você é dotado de uma capacidade média de raciocínio espacial. O incremento dessa capacidade o habilitará a chegar a seu destino a partir de diferentes direções sem se perder e lhe dará uma consciência espacial mais definida do mundo que o cerca.

4 pontos ou mais — você é dotado de uma capacidade excelente de raciocínio espacial e é capaz de, mentalmente, transformar imagens em objetos tridimensionais. Tem facilidade para visualizar, projetar e construir objetos.

⭐ Para melhorar

1. Antes de montar móveis ou brinquedos, leia as instruções. Ponha todas as peças à sua frente. Veja de que modo os diagramas bidimensionais das instruções se traduzem em objetos tridimensionais.

2. Usando uma folha de papel, tesoura e fita adesiva, construa um cone. Depois tente fazer um cubo.

3. Abra uma embalagem de lenços de papel até deixá-la em sua forma plana. Ela é do jeito que você esperava?

Você sabe decifrar códigos?

O RACIOCÍNIO ABSTRATO é universalmente aceito como um dos critérios mais confiáveis para a medida da inteligência e é avaliado por meio de perguntas que não dependem de nenhum conhecimento anterior, experiência ou bagagem cultural para ser respondidas. Isso torna mais "puro" o método de teste — o conteúdo da pergunta não implica nenhuma parcialidade e quem tem mais conhecimentos não leva vantagem sobre quem tem menos. Os questionários de decodificação (ou percepção de um padrão) constituem o formato tradicional dos testes de raciocínio abstrato propostos pelas escolas e empresas.

O bom exercício do raciocínio abstrato não serve somente para que a pessoa ingresse numa boa escola ou num excelente emprego, mas apresenta também vantagens na vida cotidiana. Se você tiver de se juntar a um grupo de especialistas que só falam no jargão de sua especialidade, será capaz de decodificar rapidamente o novo vocabulário. Terá facilidade para preencher formulários com denominações abreviadas para cada campo. Na próxima vez em que for passar férias num outro país, cuja língua você desconheça, procure valer-se da sua capacidade de raciocínio abstrato para decifrar e interpretar corretamente o sentido de sinais, símbolos e palavras desconhecidas.

EXERCITE SEU RACIOCÍNIO ABSTRATO

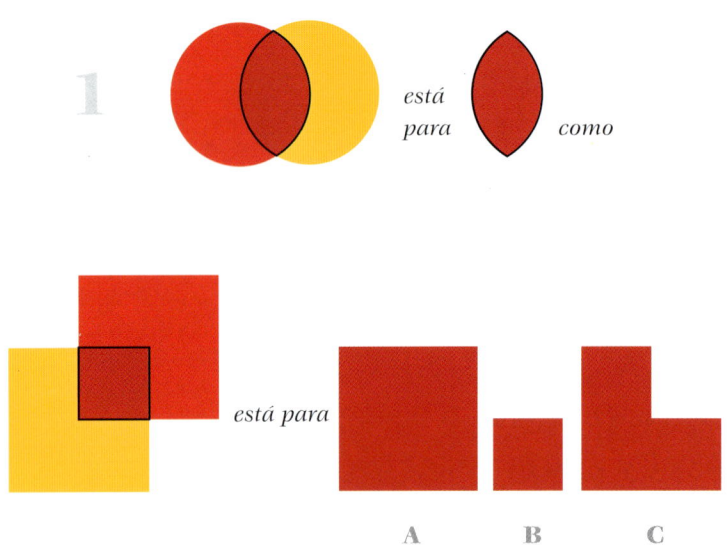

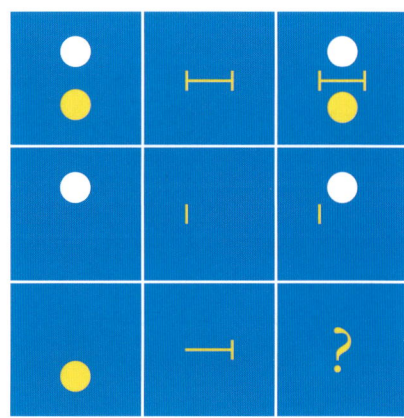

2 Examine cada linha e cada coluna. Qual o símbolo que falta no quadrado vazio?

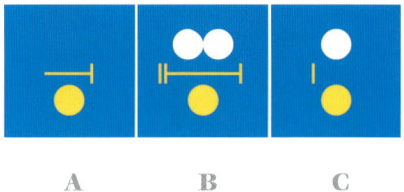

RACIOCÍNIO ABSTRATO

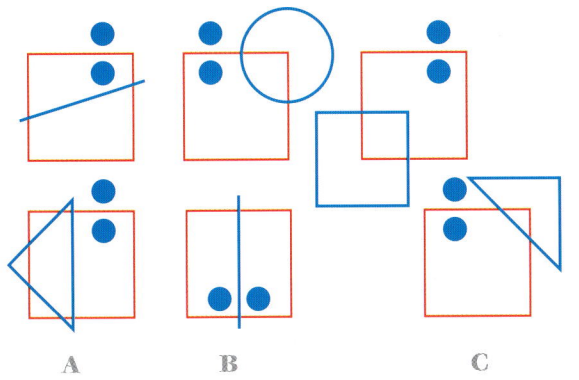

3 Qual a quarta figura pertencente ao conjunto de cima?

4 Qual dos círculos à direita é mais parecido com o círculo à esquerda?

A   B   C

5 Qual coluna não combina com as outras duas?

⭐ Para melhorar

1. Desenhe uma planta do seu escritório. Invente símbolos para elementos como os banheiros, as saídas de incêndio e as escadarias. Para experimentar o seu código, apresente a planta a um colega e peça-lhe que descubra o que cada símbolo representa.

2. Jogue com os amigos um jogo de adivinhação de um código secreto. Os outros jogadores devem fazer-lhe perguntas, às quais você deve responder usando o seu código — como deixar de fora das frases todas as palavras que começam com a letra "t", por exemplo, ou começar cada resposta com a letra "i". A primeira pessoa a adivinhar o código ganha. Revezem-se no papel de inventar um código e responder às perguntas.

RESPOSTAS E INTERPRETAÇÕES

Marque 1 ponto para cada resposta correta. Pontuação máxima = 5

1. B
2. A
3. C
4. A
5. A

3 pontos ou menos — você é dotado de uma capacidade média de raciocínio abstrato e é capaz de interpretar códigos conhecidos através de regras claramente delineadas, como os sinais de trânsito, mas pode encontrar dificuldades com códigos complexos em contextos não convencionais, como a programação de computadores.

4 pontos ou mais — você é dotado de uma excelente capacidade de raciocínio abstrato e é capaz de identificar códigos para manipular e decifrar informações, o que é muito útil para se aprender línguas estrangeiras.

Você é capaz de sair de um labirinto?

Os LABIRINTOS SÃO ENIGMAS nos quais de uma única rota correta saem caminhos alternativos destinados a distrair o caminhante. A mais antiga forma de labirinto tem um único caminho e um único destino central. Este tipo de labirinto era muito popular na Idade Média, pois simbolizava o caminho espiritual dos peregrinos cristãos; muitos labirintos ainda podem ser vistos nas janelas e pisos de catedrais e igrejas góticas de toda a Europa.

Hoje em dia, os labirintos são empregados no comércio de maneira sutil. Os diversos pisos das lojas de departamentos são projetados com astúcia para que o consumidor faça um caminho predeterminado: segue uma rota tortuosa da qual saem outras rotas que o distraem do seu destino final e retardam sua chegada. Os consumidores que buscam produtos populares como lingerie e perfumes, por exemplo, são "coagidos" a passar por artigos e acessórios de couro (todos no mesmo andar) antes de chegar aos outros departamentos, deliberadamente postos na parte de trás da loja. Ao contrário das lojas de departamentos, os supermercados se dispõem como labirintos do tipo mais antigo: um caminho determinado que demarca diversas seções, todas as quais conduzem a um caixa. Desse modo, as cadeias de supermercado garantem que a caminhada através de cada corredor representa uma potencial jornada de "consumo" para seus clientes.

PROVE A SUA CAPACIDADE

Cubra as respostas na página seguinte e procure encontrar a saída ou chegar ao centro do labirinto.

Labirinto 1

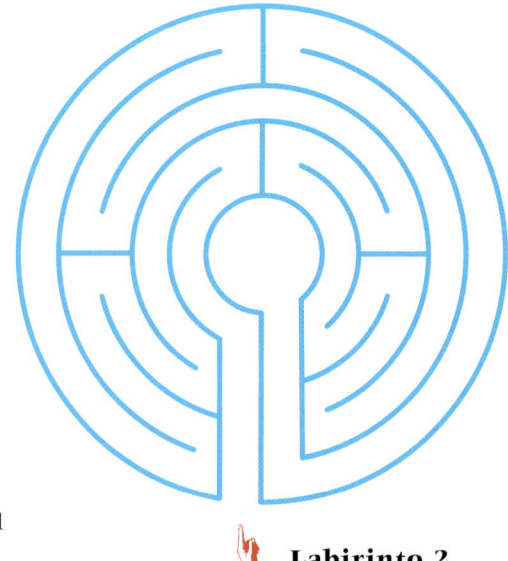

Labirinto 2

RACIOCÍNIO ABSTRATO 31

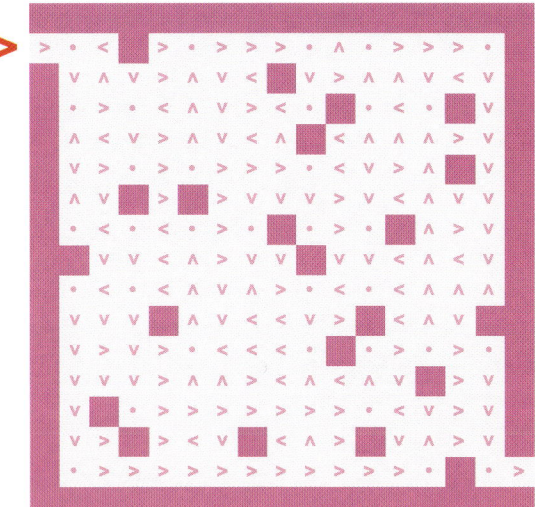

Labirinto 3
Siga as setas, observando que você só pode mudar de direção nos pontos.

⭐ **Para melhorar**

1. Faça o seu próprio labirinto. Numa folha de papel quadriculado, desenhe um quadrado grande de 15 x 15 (225 quadradinhos no total). Demarque os pontos de entrada e de saída. Use a grade e um lápis para esboçar a rota principal e os caminhos sem saída. Desenhe as paredes à caneta e apague as linhas a lápis. Dê para um amigo resolver.

2. Observe a sua sala de estar ou o seu escritório. Repare em que a posição dos móveis determina o caminho que você faz para chegar a pontos importantes. Você é capaz de identificar caminhos sem saída (como num labirinto comum) ou rotas circulares (como num labirinto com câmara central)?

RESPOSTAS E INTERPRETAÇÕES

Labirinto 1   *Labirinto 2*

MÉDIA

Se você teve dificuldade para encontrar o caminho através dos labirintos 1 e 2, sobretudo se errou de caminho diversas vezes, você é dotado de uma capacidade média de raciocínio abstrato.

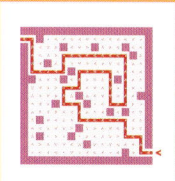

Labirinto 3

EXCELENTE

Se você conseguiu chegar ao fim dos labirintos 1, 2 e 3 com poucos erros ou nenhum, você é dotado de uma excelente capacidade de raciocínio abstrato. Sua capacidade de prever os obstáculos e de experimentar diferentes opções de respostas é uma ótima técnica de resolução de problemas e pode ser útil tanto em casa quanto no trabalho.

Você é capaz de separar as coisas em categorias?

O RACIOCÍNIO ABSTRATO envolve a capacidade de decodificar e identificar padrões recorrentes nos símbolos e nas formas. Quando essa capacidade é aplicada à vida cotidiana nos sistemas de catalogação das coisas, pode criar a ordem onde impera o caos. A organização da vida diminui o stress e deixa você com mais tempo livre — você sabe onde as coisas estão e sabe também priorizar suas atividades (o que precisa ser feito, em que ordem e até quando).

Tanto as empresas particulares quanto os órgãos do governo usam sistemas de classificação para tornar as coisas mais fáceis de se encontrar. As lojas de discos usam um sistema de ordenação alfabética dos nomes dos artistas para controlar seus estoques; as repartições do governo usam o número do CPF, por exemplo. O arquivamento correto garante que todos os dados importantes estejam sempre à mão e não se percam.

VOCÊ É ORGANIZADO?

Imagine que você fornece três tipos de botões a uma grande alfaiataria. Os botões são feitos para três níveis de uso e são costurados em três tipos de peças — camisas, calças e casacos.

uso intenso
(são abotoados e desabotoados diversas vezes ao dia)

uso médio
(uma vez abotoados de manhã, tendem a não ser desabotoados até se tirar a roupa)

uso esporádico
(quase nunca são abotoados ou desabotoados e têm finalidade primordialmente decorativa)

Você também sabe que:
• as camisas têm botões nos punhos e na frente

• as calças têm botões na braguilha e nos bolsos de trás

• os casacos têm botões decorativos nas mangas e botões de abotoar na frente

Quais os critérios que você usaria para organizar em categorias as suas amostras de botões (p. ex., número de furos do botão)?

⭐ Para melhorar

1. Organize sua vida pessoal: escolha uma área que lhe pareça caótica, como a sua bolsa ou a sua caixa de ferramentas. Planeje o modo pelo qual quer encontrar as coisas no futuro e organize de acordo com esse projeto o seu sistema de armazenamento.

2. Revise o seu sistema de arquivamento no trabalho: crie categorias para o arquivamento de documentos. Faça uma experiência com um colega para ver se ele consegue encontrar informações com mais rapidez e eficiência.

3. Classifique suas contas do mês em categorias: alimentação, moradia, diversão, vestuário, transporte e diversos. Isso facilitará a soma do gasto total por categoria no fim do mês, a fim de comparar os custos.

RESPOSTAS E INTERPRETAÇÕES

Não há respostas certas e respostas erradas. Marque 1 ponto por categoria se você organizou os botões de acordo com as seguintes categorias:

1. *frequência de uso*
2. *número de furos*
3. *posição na peça de roupa*
4. *tipo de peça de roupa*
5. *número de botões na peça*

3 pontos ou menos — você é dotado de uma capacidade média de raciocínio abstrato. Tem mais facilidade para usar códigos e padrões já existentes do que para criar os seus próprios.

4 pontos ou mais — você é dotado de excelente capacidade de raciocínio abstrato, gosta de procurar semelhanças entre as coisas e maneiras de classificá-las; provavelmente é uma pessoa bem organizada.

Sua inteligência conceitual

Depois de concluir todos os testes, você já pode listar seus resultados a fim de ter uma visão geral dos seus pontos fortes. Marque os resultados dos testes nos campos correspondentes a cada um.

Qual é o seu hemisfério cerebral predominante?
A partir do teste de raciocínio lógico (*ver pp. 20-21*), veja se você manifestou uma preferência geral pelos processos de pensamento ligados ao hemisfério esquerdo ou ao hemisfério direito.

• Se você marcou 5 pontos ou mais na coluna "Médio", a sua inteligência conceitual é suficiente. Provavelmente, você é por natureza um tipo do hemisfério cerebral direito e encara a vida de maneira holística. Para aprender, você prefere obter primeiro uma visão geral do tema em pauta e só depois explorar as partes específicas.

• Se você marcou 3 ou 4 pontos em ambas as colunas, é dotado de uma boa inteligência conceitual. Provavelmente, seu temperamento cerebral é equilibrado e você se sente à vontade tanto em lidar com o todo quanto com os detalhes. Em algumas áreas da vida, pensa de maneira global; em outras, de maneira sistemática.

• Se você marcou 5 pontos ou mais na coluna "Excelente", é dotado de uma inteligência conceitual superior. Provavelmente é por natureza um tipo do hemisfério cerebral esquerdo e encara a vida de maneira analítica. Para aprender, você prefere seguir um processo gradual, partindo dos detalhes até chegar numa compreensão geral.

Como desenvolver e melhorar a inteligência conceitual

A inteligência conceitual é tradicionalmente vista como a inteligência básica e genética com que você pode contar desde o nascimento. Há várias maneiras de desenvolvê-la e aumentar a sua pontuação nos testes. Um dos fatores mais importantes é sem dúvida a vontade, mas é essencial lembrar que ao aumento do grau de motivação corresponde uma otimização do desempenho, mas não uma melhora deste.

Se a sua inteligência conceitual é de média a boa, proponha-se a alcançar objetivos significativos, mas realistas. Aprenda a se concentrar e a aplicar a lógica às diversas situações. Metodicamente, exponha para si mesmo as razões pelas quais acha que deseja e merece algo, como um aumento, por exemplo; descarte quaisquer justificativas emocionais que possam atrapalhar seu raciocínio lógico.

Se você é dotado de uma inteligência conceitual superior, acostume-se a adaptar as suas estratégias aos diferentes contextos. O conhecimento desse talento deve ter sido

	Médio ✓	Excelente ✓
RACIOCÍNIO LÓGICO		
Teste 1 (pp. 16-17)		
Teste 2 (pp. 18-19)		
RACIOCÍNIO ESPACIAL		
Teste 1 (pp. 22-23)		
Teste 2 (pp. 24-25)		
Teste 3 (pp. 26-27)		
RACIOCÍNIO ABSTRATO		
Teste 1 (pp. 28-29)		
Teste 2 (pp. 30-31)		
Teste 3 (pp. 32-33)		

uma surpresa agradável. A inteligência conceitual é uma capacidade metacognitiva, ou seja, você tem de pensar conscientemente sobre a mecânica do pensamento a fim de obter conhecimento. Tem de aprender a controlar a cognição como controla os movimentos do corpo: seu cérebro, como seu corpo, pode ser treinado e desenvolvido com exercícios regulares. Ofereça-se como voluntário para encontrar a solução de um problema no trabalho ou encontre novas maneiras de tornar mais fácil a sua vida no lar.

Para as crianças
Vamos apresentar agora alguns projetos divertidos que os jovens podem desenvolver para melhorar a inteligência conceitual deles ao mesmo tempo que você melhora a sua. Vocês podem, por exemplo:
- Construir objetos tridimensionais a partir de blocos de madeira ou peças de Lego. Proponha à criança o desafio de construir algo extraordinário, como um arranha-céu ou uma nave espacial. Observe como ela planeja e executa a tarefa; só ofereça orientação, delicadamente, quando isso for necessário.
- Crie junto com ela uma linguagem secreta: um código escrito que só vocês dois (ou um pequeno grupo) saibam decifrar!
- Crie um mapa para uma caça ao tesouro. As crianças maiores podem desenhar e escrever pistas para as menores; ou, senão, podem-se formar duas equipes, que se revezam nas funções de esconder o tesouro e procurá-lo.

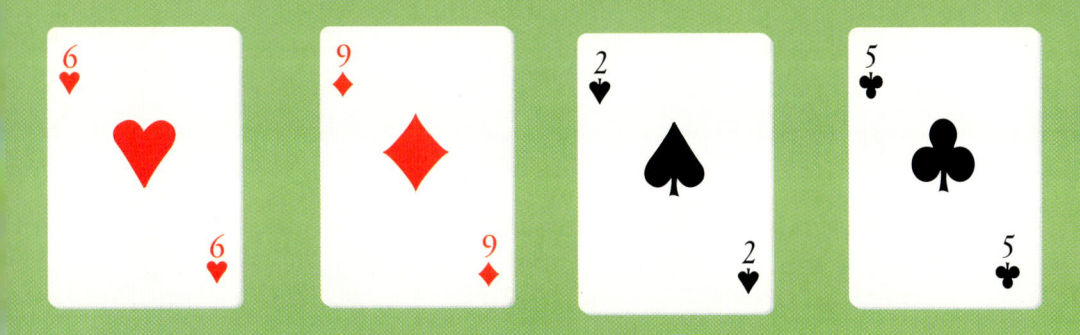

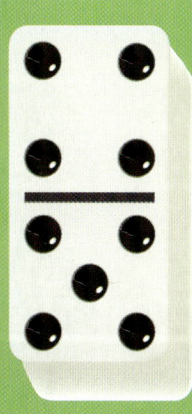

INTELIGÊNCIA NUMÉRICA

O que é inteligência numérica?

A INTELIGÊNCIA NUMÉRICA tem parentesco com a inteligência conceitual mas manipula números em vez de conceitos abstratos. Quando Isaac Newton inventou o cálculo, foi a essa inteligência que recorreu; o mesmo fez Albert Einstein quando formulou a teoria da relatividade. As pessoas que possuem essa capacidade conseguem lidar habilmente com os números a fim de criar padrões e impor ordem a determinadas seqüências numéricas; gostam de resolver problemas, e especificamente os que contêm informações numéricas. Os processos que esse tipo de competência mental exige são a indução, a dedução, a categorização, a classificação, a inferência, a generalização, o cálculo e a experimentação de hipóteses. Fora de seu contexto, essas capacidades parecem excessivamente abstratas e difíceis de ser aplicadas à vida real. Conceitualmente, a inteligência numérica envolve a compreensão, a elaboração e a demonstração das implicações de um acontecimento. Os mesmos processos estão envolvidos na decifração do mistério de uma história de detetive ou na tentativa de se tocar no piano uma música que se acabou de ouvir. Até mesmo a imaginação pode usar essas capacidades: *Alice no País das Maravilhas* (1865), por exemplo, foi escrito por um matemático, Lewis Carroll.

Certas pessoas sentem-se ansiosas quando têm de se dedicar à matemática e ficam tensas ou cansadas quando se deparam com um problema cuja resolução exige a execução de operações numéricas. Esse bloqueio mental as impede de atingir o seu verdadeiro potencial de inteligência numérica. Quando a matemática é encarada como uma ameaça, a mente perde a sua capacidade de pensar com lógica, sente-se cansada e distraída e perde a memória de curto prazo. Esse processo rapidamente se transforma numa espiral descendente que conduz à chamada "ansiedade matemática". Isso resulta do fato de se ter de aprender os "fatos matemáticos" como pedaços isolados de informação que devem ser lembrados individualmente. Quando uma pessoa se esquece de um desses "fatos", não possui meio algum pelo qual possa descobri-lo sozinha. Os estudantes perdem a iniciativa e a confiança necessárias para dar o próximo passo no processo de aquisição do conhecimento.

A matemática, na qualidade de "ciência dos padrões", não trata somente de números. As pessoas dotadas de inteligência numérica são capazes de identificar e criar padrões. A compreensão tanto dos fatos quanto das relações entre eles colabora para a construção de um fundamento sólido de informações e estratégias. Quando novos problemas são vinculados ao conhecimento já existente, crescem a confiança e a habilidade matemática. A aritmética mental é o primeiro passo, e o mais básico, para a compreensão dos fatos matemáticos. Quando estes são compreendidos, o raciocínio numérico pode se desenvolver.

A aritmética mental

A inteligência numérica se baseia no fato de que quantidades diferentes são representadas por figuras diferentes, e no fato de que os números são os objetos passivos das funções matemáticas de soma, subtração, multiplicação e divisão. A capacidade de executar mentalmente essas operações, sem o uso da calculadora, é chamada de aritmética mental — e é um pré-requisito para todos os cômputos e manipulações mais complicados.

A aritmética mental pode ser desenvolvida, de início, pelo uso de lápis e papel, ou de contas (como as de um ábaco). O cérebro pode ser treinado para imaginar que está escrevendo os números ou passando as contas, de modo que, no fim, todos os cálculos sejam feitos na mente.

O raciocínio numérico

Muito embora a aritmética mental faça parte da inteligência numérica, a capacidade de raciocinar com números nos abre mais oportunidades do que a simples capacidade de fazer cálculos na mente. O raciocínio numérico tira os números do campo da teoria e os leva para o da prática; exige ao mesmo tempo o pensamento criativo e o pensamento lógico. Impõe a aplicação de capacidades básicas do raciocínio, envolvidas na avaliação dos dados, nas hipóteses de cálculo e no encontro das soluções.

Por que a inteligência numérica é importante

Os números são um elemento importante da vida cotidiana. Eles nos ajudam a compreender o nosso meio ambiente imediato e nos habilitam a quantificar dados e a fazer planos, previsões e descobertas. Todas as profissões envolvem um fator numérico e a nossa vida cotidiana se beneficia da capacidade de lidar confiantemente com os números: na hora de fazer um empréstimo, de calcular o orçamento da casa, de mobiliar um apartamento ou mesmo de cozinhar. Os indivíduos dotados de boa capacidade numérica gostam de resolver problemas, de medir, seqüenciar e coletar dados, de fazer cálculos matemáticos e de criar tabelas e bancos de dados. Entre os ramos profissionais que buscam pessoas dotadas de excelente aptidão numérica, podemos mencionar as ciências exatas e biológicas, a matemática, a estatística, a contabilidade, as profissões bancárias, a administração de empresas, o comércio e a pesquisa.

Você sabe somar e subtrair?

As crianças desenvolvem sua capacidade matemática desde a mais tenra idade. Começam por separar os objetos em categorias; depois, aprendem os números de cor; por fim, percebem que um único número tem relação com um único objeto — e assim começa a verdadeira capacidade de cômputo.

As habilidades fundamentais da aritmética mental são a soma e a subtração: quando estas se estabelecem com firmeza na mente, a pessoa entra no mundo da matemática. A aritmética mental, enquanto parte da rotina cotidiana, é essencial quando você tem de calcular o troco que deve receber, saber quanto tempo lhe resta antes do próximo compromisso, calcular o total de uma compra, saber qual a distância que já percorreu enquanto corre no parque e muitas outras atividades. Também é essencial para controlar seus gastos de modo a não ter surpresas desagradáveis no final do mês.

AVALIE A SUA CAPACIDADE MATEMÁTICA

Você vai precisar de papel e lápis e de um cronômetro ou relógio que marque os segundos. Meça quanto tempo você leva para responder às perguntas seguintes.

1 Qual o valor total destas cartas de baralho?

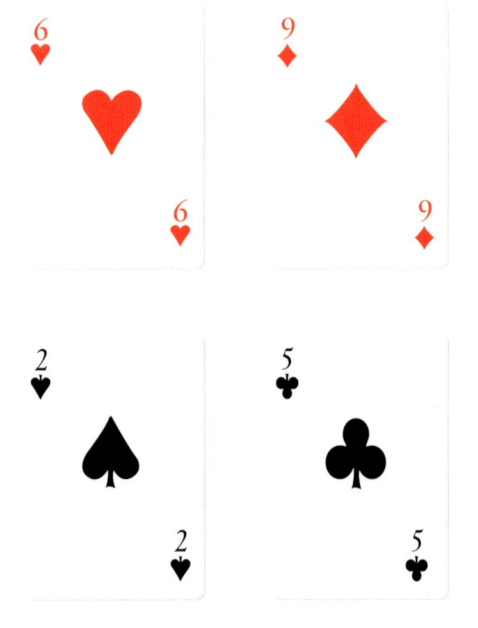

2 O que é maior — a soma dos números de cima dos dominós ou a soma dos números de baixo?

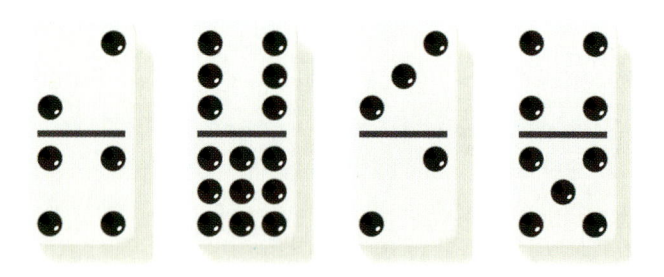

3 Qual a soma das faces visíveis destes dados?

ARITMÉTICA MENTAL

4. Você precisa de 12 pregos para fazer uma caixa. Quantos pregos lhe sobrariam se comprasse um pacote com 25?

5. Você compra três chicletes por 50 centavos cada um. Quanto receberia de troco se desse uma nota de 5 reais?

6. O termômetro marca 35° durante o dia e a temperatura cai em 18° quando chega a noite. Quantos graus marca o termômetro à noite?

7. Você está no cinema, assistindo a um filme de 122 minutos de duração. Depois de uma hora, sai para comprar mais pipoca. Quanto tempo ainda resta de filme?

RESPOSTAS E INTERPRETAÇÕES

**Marque 1 ponto para cada resposta correta.
Pontuação máxima = 7**

1. 22
2. A de baixo
3. 23
4. 13
5. R$ 3,50
6. 17°
7. 62 minutos

Menos de 75 segundos e nenhuma resposta incorreta — você é dotado de uma capacidade excelente de soma e subtração e provavelmente usa essa capacidade todos os dias, para conferir o troco, pagar suas dívidas ou administrar o seu tempo.

Mais de 75 segundos ou pelo menos uma resposta incorreta — você é dotado de uma capacidade média de soma e subtração e provavelmente evita a todo custo usar a matemática. Provavelmente, isso está limitando a sua vida. A boa aritmética mental lhe dará mais oportunidades no trabalho e na vida pessoal.

✪ Para melhorar

1. Quando você pensar em números, decomponha-os em números menores. Se você pensar em unidades de 10, por exemplo, tente memorizar os pares de números que somam 10, como 3 e 7, 4 e 6, etc.

2. Imponha-se algumas tarefas diárias: some o valor das moedas que você tem no bolso; subtraia o custo do transporte até o trabalho e de volta para casa; calcule quanto tempo você gasta nas pausas que faz durante o trabalho.

3. Calcule o preço da refeição no restaurante ou das mercadorias no carrinho de supermercado antes de pagar.

4. Elabore uma tabela de horários para o preparo de uma refeição ou para as atividades de uma noite, com base na hora em que você quer começar essas atividades, na hora em que quer terminá-las e em quanto tempo gastará nas partes isoladas do processo. Some ou subtraia unidades de tempo para chegar a uma tabela final.

Você tem talento para a multiplicação?

A MULTIPLICAÇÃO não passa de um atalho para a soma. Por que somar 6 + 6 + 6 + 6 + 6 quando você sabe que 5 x 6 é igual a 30? Talvez você pense que a multiplicação só lhe era necessária na escola, mas a verdade é que o incremento dessa capacidade o ajudará a lidar mais rapidamente com uma ampla gama de atividades cotidianas: calcular o número de lajotas de que precisa para trocar o piso do banheiro, encomendar a quantidade certa de refrigerantes para uma festa ou dar uma gorjeta proporcional a um serviço de primeira.

AVALIE A SUA CAPACIDADE DE MULTIPLICAÇÃO
Você vai precisar de papel e lápis e de um cronômetro ou relógio que marque os segundos. Meça quanto tempo você leva para responder às perguntas seguintes.

1. Você está fazendo molho de macarrão para 8 pessoas e precisa de 1 punhado de champignons picados, 1 punhado de cebolas fatiadas e 2 punhados de tomates cortados em cubinhos por pessoa. De quantos punhados de tomate vai precisar no total?

2. Quantas latas de tinta você precisa comprar para pintar as paredes do seu quarto se cada parede precisa de 2 demãos e em cada demão se gastam 4 latinhas de tinta?

3. Você vai correr no parque. Cada volta leva 8 minutos. Quanto tempo você vai gastar para dar 3 voltas?

4. Você tem 10 pares de tênis e 6 pares de sapatos. Quantos pés de calçados você tem no total?

5. Qual é o número maior?
   3 x 1 x 6   5 x 2 x 2   4 x 3 x 2

6. Suas plantas precisam ser regadas 3 vezes por semana. Quantas vezes você vai regá-las no decorrer de 7 semanas?

7. Complete a soma:
   (3 x 9) − (2 x 5) = ?

8. Cada uma das 4 rodas do seu carro tem 7 raios. Qual é o número total de raios?

9. Você está organizando uma conferência para 50 participantes, cada um dos quais está pagando R$150, ao passo que você gastou R$50 para cada participante. Quanto lucro você terá no total?

10. Você escreveu um relatório para o trabalho. O relatório deve ser entregue a 8 pessoas, 3 das quais precisam de uma cópia a mais. De quantas fotocópias você precisa?

ARITMÉTICA MENTAL

Marque 1 ponto para cada resposta correta.
Pontuação máxima = 10

RESPOSTAS E INTERPRETAÇÕES

1. 16
2. 32
3. 24
4. 32
5. 4 × 3 × 2 = 24
6. 21
7. 17
8. 28
9. R$5000
10. 11

Menos de 90 segundos e nenhuma resposta incorreta — você é dotado de uma capacidade excelente de multiplicação. Provavelmente é o tipo de pessoa a quem os amigos recorrem quando precisam fazer um cálculo, converter moedas estrangeiras, calcular os juros da caderneta de poupança ou a restituição do imposto de renda.

Mais de 90 segundos ou pelo menos uma resposta incorreta — você é dotado de uma capacidade média de multiplicação e provavelmente comete erros porque faz cálculos depressa demais. Concentre-se para ser mais exato. A rapidez melhora com a familiaridade e a prática — logo você será capaz de fazer cálculos mentais com rapidez e precisão.

⭐ Para melhorar

1. Use um tabuleiro de damas ou desenhe um para fazer esta atividade. Com uma caneta, desenhe uma grade quadriculada de 8 x 8 (64 quadrados no total) em papel quadriculado ou milimetrado. Escreva "R$1" no quadrado superior esquerdo, "R$2" no quadrado ao lado, "R$4" no seguinte, e depois "R$8", "R$16", "R$32", "R$64" e "R$128" até completar a primeira fileira (*ver desenho*). Quantos reais você tem ao chegar no fim do tabuleiro?

2. Comece com "3" no quadrado superior esquerdo. Acrescente 3 para o número do quadrado seguinte (ou seja, "6"). Vá acrescentando 3 a cada quadrado de modo que na primeira fileira você tenha: "3", "6", "9", "12", "15", etc. Termine os cálculos para completar o tabuleiro.

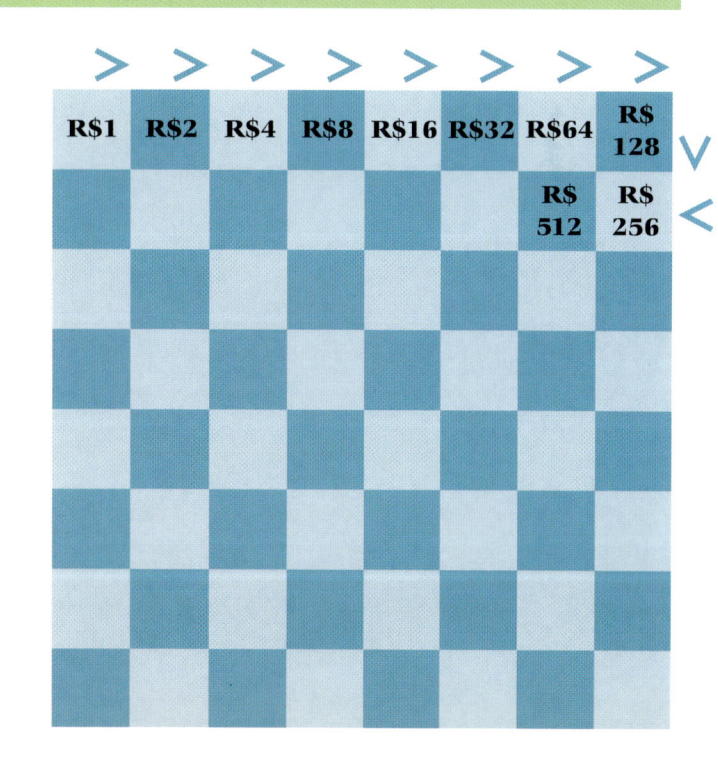

R$1	R$2	R$4	R$8	R$16	R$32	R$64	R$128
						R$512	R$256

Você sabe brincar com proporções?

AS FRAÇÕES SÃO UM MEIO de que dispomos para expressar a relação entre a parte e o todo. A capacidade de usar a divisão e as frações depende de uma boa aptidão aditiva, subtrativa e multiplicativa. Se você estiver "craque" nestas três, poderá começar a manipular os números de fato. Poderá descobrir qual é a melhor proposta de vendas, fazer as contas de quanto cada um deve pagar num jantar ou calcular quantos metros quadrados de carpete ou de tecido você precisa para decorar o quarto.

VOCÊ SABE DIVIDIR E FRACIONAR?
Você vai precisar de papel e lápis e de um cronômetro ou relógio que marque os segundos. Meça quanto tempo você leva para responder às perguntas seguintes.

1. Você saiu para jantar com dois amigos. O valor da conta é de R$66, já com a taxa de serviço. Quanto cada um de vocês deve pagar?

2. Qual é o número maior?

    $1/4$ $2/12$ $4/10$

3. Você leva alguns pares de sapatos ao sapateiro para trocar as solas e os saltos. Se são precisos 30 minutos para se consertar 4 pares, quanto tempo é preciso para se consertar um único par?

4. Qual é o resultado desta soma?
   $(20 \div 5) + (18 \div 3)$

5. Quatro pessoas estão jogando com um baralho de 52 cartas. Quantas cartas devem ser dadas a cada jogador para que o baralho seja igualmente dividido entre os quatro?

6. Sua refeição no restaurante custou R$20 e você deixou ainda 20% de gorjeta. Quanto o garçom ganhou?

7. Sua firma emprega 50 pessoas. Você precisa aumentar o número de empregados em 30% para cumprir um novo contrato. Quantos empregados novos precisa recrutar?

8. Qual destas frações não combina com as demais?

    $5/15$ $2/6$ $4/12$ $3/7$

9. Você trabalha no vigésimo andar e o elevador quebra. Quanto tempo leva para chegar ao décimo quinto andar se leva 12 minutos para chegar ao térreo?

10. Você viu uma poltrona de couro à venda com desconto de 25%. Se o preço original é de R$600, qual será o preço com desconto?

ARITMÉTICA MENTAL

Marque 1 ponto para cada resposta correta.
Pontuação máxima = 10

RESPOSTAS E INTERPRETAÇÕES

1. R$22
2. 4/10
3. 7 minutos e 30 segundos
4. 10
5. 13
6. R$4
7. 15
8. 3/7
9. 3 minutos
10. R$450

Menos de 90 segundos e nenhuma resposta incorreta — você é dotado de uma excelente capacidade de fazer divisões e lidar com frações e provavelmente adora fazer cálculos rapidamente e sob pressão. Não tem dificuldade alguma para dividir porções e quantias entre várias pessoas.

Mais de 90 segundos ou pelo menos uma resposta incorreta — você é dotado de uma capacidade média de fazer divisões e lidar com frações. Provavelmente não é você quem se oferece para calcular a parte de cada um na conta, mas, se melhorar na matemática, certamente não pagará mais do que deve!

⭐ Para melhorar

1. Pegue uma laranja. Imagine que você tem de dividi-la igualmente com um amigo — corte-a pela metade. E se você quisesse ficar com o dobro da parte do seu amigo? Em quantos pedaços iguais teria de cortá-la? Se vocês estivessem em três e você só quisesse um quarto da laranja, que fração dela caberia a cada um dos seus amigos? Pratique com outros objetos que você possa cortar, dividir e segmentar — um baralho, um filão de pão, um bolo, um cacho de uvas ou uma caixinha de grampos.

2. Imagine-se numa loja em liquidação. Se um par de sapatos que originalmente custava R$70 sofreu uma redução de 35%, calcule o valor do preço final, representando-o como uma fração do preço original. Suponha que a loja anuncie o valor dos preços, e não dos descontos. Um casaco de R$300 está anunciado por R$200. Qual a porcentagem da redução?

3. Calcule a porcentagem do seu dia que você gasta no trânsito; no trabalho; em casa, acordado e dormindo.

Você sabe brincar com os números?

O RACIOCÍNIO NUMÉRICO baseia-se no fundamento das quatro operações: soma, subtração, multiplicação e divisão. Muitas vezes, várias operações são utilizadas. Várias disciplinas, sobretudo as ciências e a engenharia, elevam esse conhecimento básico da matemática ao grau do raciocínio numérico.

A confiança e a competência numérica são pré-requisitos para a maioria dos empregos, e as provas de admissão geralmente incluem vários testes desse tipo. Na vida cotidiana, existem inúmeras situações em que você pode aproveitar ao máximo as informações numéricas disponíveis: para obter descontos na mensalidade da academia de ginástica, para descobrir qual é a melhor taxa de juros para um empréstimo ou para calcular o custo real das suas próximas férias, levando-se em conta as despesas extras.

COMO VAI SEU RACIOCÍNIO NUMÉRICO?

Você vai precisar de papel e lápis e de um cronômetro ou relógio que marque os segundos. Meça quanto tempo você leva para responder às perguntas seguintes.

1 Qual o número que falta na tabela?

2	3	5
5	1	6
7	4	?

2 Supondo que os gatos tenham 7 vidas, a mãe gata já viveu 6 das suas. Alguns de seus gatinhos já viveram 3, outros viveram 4. A mãe gata e os gatinhos ainda têm, ao todo, 18 vidas. Quantos gatinhos ela tem?

3 Qual o número que falta na tabela?

2	3	4	5
4	9	16	?

4 Usando somente a multiplicação, a adição e a subtração, preencha os sinais que faltam (x, + ou -) nas seguintes somas:

1	?	2	?	3	=	7
4	?	5	?	6	=	3
7	?	8	?	9	=	6

5 Uma garrafa de água mineral dá 6 copos. De quantas garrafas você precisaria para garantir que, no decorrer de uma noite, 4 pessoas bebessem exatamente a mesma quantidade de água? Qual é o menor número de copos que cada pessoa teria de beber?

6 O que liga esta seqüência de números?

1   4   10   22   46

7 Numa piscina, uma mulher nada uma raia em 50 segundos. Quanto tempo leva para nadar a terceira raia, se cada uma leva 20% a mais de tempo do que a anterior?

RACIOCÍNIO NUMÉRICO   47

8 Usando a multiplicação, a divisão e a subtração, de que modo os números 1, 2, 3 e 4 resultam em 5?

9 João corre três km em 30 minutos.
Maria corre 4 km em 36 minutos.
Guilherme corre 5 km em 40 minutos.
Quem é o mais rápido?

10 Você quer encher uma caixa de areia. Cada saco contém 0,25 m³ de areia. De quantos sacos você vai precisar?

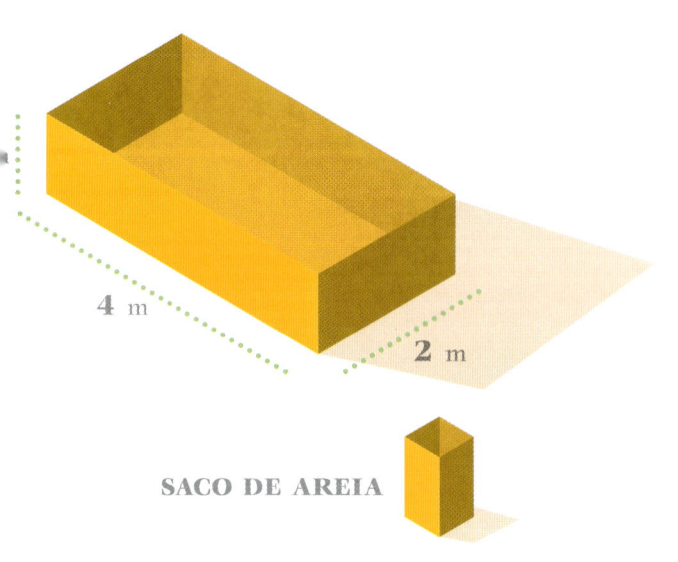

4 m
2 m
SACO DE AREIA

RESPOSTAS E INTERPRETAÇÕES

Marque 1 ponto para cada resposta correta.
Pontuação máxima = 10

1. 11
2. 5
3. 25
4. 1 + (2 x 3);
(4 + 5) − 6; (7 + 8) − 9
5. 2 garrafas (ou múltiplos de 2); 3 copos cada uma.
6. O dobro de cada número mais 2.
7. 72 segundos
8. ((2 x 4) ÷ 1) − 3 = 5
9. Guilherme
10. 32

Menos de 4 minutos e nenhuma resposta incorreta — você é dotado de excelente capacidade de raciocínio numérico. Provavelmente é capaz de identificar com facilidade os melhores negócios antes de comprar, bem como de detectar os erros numéricos das outras pessoas.

Mais de 4 minutos ou pelo menos uma resposta incorreta — você é dotado de uma capacidade média de raciocínio numérico e provavelmente usa uma calculadora para fazer a maior parte de suas contas. O desenvolvimento desta capacidade lhe dará mais confiança para conferir contas e faturas e identificar possíveis erros.

✪ Para melhorar

1. Procure padrões nos números. No Brasil e na Europa, por exemplo, as temperaturas são medidas em graus Celsius, ao passo que nos EUA o são em Fahrenheit. Para obter uma temperatura em Celsius, tome o valor em Fahrenheit, subtraia 32, multiplique por 5 e divida por 9.

2. Crie uma seqüência numérica. Comece com um número pequeno (3, por exemplo) e some-o ou multiplique-o por um outro número a fim de chegar ao próximo número da seqüência (3 mais 4 igual a 7). Continue, usando o mesmo esquema de cálculo, até chegar a uma seqüência de cinco números (como 3, 7, 11, 15, 19).

3. Ponha estes vultos históricos em ordem cronológica: Dom Pedro I, Júlio César, Cleópatra, Mao Tsé-Tung.

Você sabe usar os números na vida cotidiana?

EXISTEM MUITAS SITUAÇÕES da vida cotidiana em que o raciocínio numérico desempenha papel importante. Quando lemos os rótulos das embalagens dos alimentos, a compreensão dos dados nutricionais pode nos ajudar a conservar a saúde pelo controle da ingestão de lipídios, carboidratos e sódio. Planejando uma viagem para outra cidade ou outro país, podemos comparar as informações meteorológicas do nosso destino com a do lugar onde estamos e assim fazer as malas de maneira adequada. Do mesmo modo, se vamos sair para passar um dia no campo, podemos saber também a temperatura, a umidade e a previsão de chuva para aquele dia. E quem não gostaria de passar o menor tempo possível no trajeto de casa para o trabalho e vice-versa? As tabelas de horários de ônibus e trens, por exemplo, nos permitem comparar as opções de transporte com facilidade e confiança, fornecendo-nos assim as informações necessárias para tomarmos decisões favoráveis.

TESTE O SEU RACIOCÍNIO NUMÉRICO

Você vai precisar de papel e lápis e de um cronômetro ou relógio que marque os segundos. Meça quanto tempo você leva para responder às perguntas seguintes.

1 A tabela abaixo mostra a previsão do tempo para Nova York e São Francisco no mês de julho:

a) Qual é a diferença prevista entre as temperaturas de Nova York ao meio-dia e de São Francisco à noite?
b) Em que cidade o dia será mais comprido?
c) Se a umidade em São Francisco fosse 20% menor do que na previsão, de quanto seria?

	Nova York	*São Francisco*
Temperatura máxima	33 °C	22 °C
Temperatura mínima	22 °C	11 °C
Umidade relativa	73%	85%
Ventos	8 km/h de NE	8 km/h de SO
Nascer do sol	5:41	6:02
Pôr-do-sol	20:23	20:29
Síntese	*Parcialmente nublado*	*Parcialmente nublado*

RACIOCÍNIO NUMÉRICO 49

2 A tabela à direita contém os dados nutricionais das uvas-passas:
a) Se há 600 passas em 100 g, quantas calorias tem cada passa?
b) Qual é a proporção de não-carboidratos em 100 g de passas?
c) Se a dose diária recomendada de fibras é de 18 g e você come 100 g de passas num dia, qual fração da dose diária recomendada de fibras essa quantia representa?
d) Das gorduras presentes nas passas, qual a porcentagem de gordura saturada?

	Por 100 g
Energia	1281 kJ (300 ca)
Proteínas	3,0 g
Carboidratos	71,0 g
Açúcares	71,0 g
Gordura	0,7 g
Gordura Saturada	0,0 g
Fibras	6,0 g
Sódio	0,02 g

3 Eis a tabela dos horários matinais de uma linha de ônibus:
a) Se você leva 11 minutos para ir a pé da Avenida Tiradentes à Praça da República, quanto tempo você economizaria pegando um ônibus no domingo de manhã?
b) Quanto tempo a mais você leva para ir da Avenida Tiradentes à Avenida Brasil numa manhã comum em comparação com o fim de semana?
c) Entre quais pontos a sua viagem é mais longa?

	Seg. – Sex.	Sáb. e Dom.
Avenida Tiradentes	8:12	8:12
Praça da República	8:19	8:16
Avenida Paulista	8:31	8:25
Avenida Brasil	8:40	8:31

⭐ Para melhorar

Desenhe uma tabela de duas colunas e faça uma comparação entre você na infância e você na idade adulta. O número de linhas deve ser correspondente ao número de categorias avaliadas: hora de dormir, altura, distância percorrida para chegar à escola/ao trabalho, etc.

RESPOSTAS E INTERPRETAÇÕES

Marque 1 ponto para cada resposta correta.
Pontuação máxima = 10

1. a) 22°C
b) Em Nova York (por 15 minutos)
c) 68%
2. a) 0,5 ou 1/2 caloria
b) 29%
c) 1/3
d) 0%
3. a) 7 minutos
b) 9 minutos
c) Da Praça da República à Avenida Paulista nos dias de semana

Mais de 2 minutos ou uma resposta incorreta — você é dotado de uma capacidade média de raciocínio numérico e provavelmente pensou em pegar a calculadora! Se se acostumar a fazer esse tipo de cálculo de cabeça, vai realizar com mais rapidez e precisão suas atividades cotidianas.

Menos de 2 minutos e nenhuma resposta incorreta — você é dotado de excelente capacidade de raciocínio numérico. Provavelmente não tem problema para decifrar as informações numéricas complexas em forma de tabela, como nas tabelas de desempenho e de horários.

Você vê o mundo por meio dos números?

O RACIOCÍNIO NUMÉRICO pode ser melhorado com a prática, mas certas pessoas têm uma facilidade inata para trabalhar com conceitos numéricos e lógicos e captam-nos como padrões: instintivamente, percebem o mundo por meio dos números. Os físicos, contadores, banqueiros e estatísticos precisam ter um tino numérico excelente, uma boa compreensão de análise e de funções abstratas e uma capacidade de raciocínio altamente desenvolvida para poder exercer com eficiência as suas profissões.

Se você examinar o modo como encara as situações numéricas, vai começar a compreender a importância dos números na sua vida. Para as pessoas dotadas de grande inteligência numérica, os números geralmente desempenham um papel central. Para as outras, os números não passam de um meio para alcançar um fim; elas os usam o menos possível. A inteligência numérica geralmente caminha de mãos dadas com a simpatia pelos números. Mas, se você não gostava de números no passado, isso não quer dizer que não possa gostar deles no futuro.

O QUE VOCÊ DIZ?

Escolha a resposta que mais combina com você.

1. Você recebe um extrato bancário no fim do mês e o saldo está equilibrado:
a) Você não se surpreende — controla cuidadosamente todos os seus gastos e não gasta mais do que ganha.
b) Você fica perplexo — não tinha a menor idéia de quanto dinheiro tinha gastado e acha que teve muita sorte.

2. Você recebe prospectos de novos apartamentos, cada um dos quais vem com uma planta. Então, você:
a) Usa as dimensões dadas para ter uma idéia precisa de como são os apartamentos.
b) Joga os prospectos no lixo — tem de ver o apartamento em pessoa para entender as plantas.

3. Você vai sair de férias com um grupo de amigos e fala sobre o assunto com um colega. Quando ele pergunta quem vai, você os:
a) Informa o número de pessoas que vão e explica a relação delas com você: seus colegas de classe.
b) Informa os nomes delas, uma de cada vez, e explica as relações delas umas com as outras.

4. Você se lembra de datas e aniversários incomuns com mais facilidade do que as outras pessoas?
a) Sim — eu me lembro da data exata em que entrei no meu emprego atual e em que conheci o meu melhor amigo.
b) Não — eu só me lembro de datas importantes, como aniversários e feriados.

⭐ Para melhorar

1. Experimente usar esquemas numéricos para memorizar os números mais importantes da sua vida, como o do CPF. Verifique, por exemplo, as relações entre os algarismos sucessivos: se um determinado algarismo é o dobro ou metade do precedente ou do seguinte, por exemplo. Use esse tipo de estratégia matemática como um esquema mnemônico.

2. Tire a calculadora da sua vida por uma semana e pratique fazer contas de cabeça.

3. Conte quantos passos você dá para ir do quarto à cozinha, da porta da frente ao banheiro ou da escrivaninha à máquina de fotocópias no trabalho.

---

5. Você costuma marcar o tempo que leva para ir de casa para o trabalho? Costuma comparar o tempo gasto para se chegar em pontos importantes do caminho?
a) Sim — eu guardo na mente meus "melhores" e "piores" tempos.
b) Não — tudo o que me importa é estar sentado à escrivaninha às 9 da manhã.

6. Você recebe a notificação de que o seu salário anual vai aumentar em 20.000 reais. Você:
a) Calcula a porcentagem do aumento e estima o quanto de imposto a mais terá de pagar antes de se sentir contente ou decepcionado.
b) Fica feliz da vida assim que vê a quantia "20.000".

7. Quando dirige a passeio, você fica de olho em todas as informações numéricas que constam do painel?
a) Sim — sempre reparo no velocímetro e no conta-giros e marco quantos quilômetros já andei.
b) Não — só reparo no velocímetro.

RESPOSTAS E INTERPRETAÇÕES

Mais respostas a do que b — os números não representam uma ameaça para você. Você gosta de manipulá-los, tanto para se divertir quanto para obter informações. Provavelmente, você se sente muito satisfeito quando impõe ordem e equilíbrio às suas finanças pessoais.

Mais respostas b do que a — para você, os números não são uma fonte de prazer, mas simples meios para alcançar um fim. A maioria das pessoas se inclui nesta categoria! Provavelmente, a matemática o deixará menos ansioso se você continuar a praticar as quatro operações básicas: adição, subtração, multiplicação e divisão.

Sua inteligência numérica

Depois de concluir todos os testes, você já pode listar os seus resultados para ter uma visão geral dos seus pontos fortes. Marque os resultados dos testes nos campos correspondentes a cada um.

Para você os números são meios para alcançar um fim ou uma fonte de satisfação?
- Se você marcou 4 pontos ou mais na coluna "Médio", a sua inteligência numérica é satisfatória. Você tende a usar os números como instrumentos e não como fontes de prazer.
- Se você marcou 2 ou 3 pontos em ambas as colunas, você é dotado de uma boa inteligência numérica. Tende a usar os números com confiança quando a situação o exige, mas eles não representam o seu passatempo favorito.
- Se você marcou 4 pontos ou mais na coluna "Excelente", você é dotado de uma inteligência numérica superior. Gosta de brincar com os números, tanto na vida profissional quanto na vida pessoal.

	Médio ✓	Excelente ✓
Aritmética mental		
Teste 1 (pp. 40-41)		
Teste 2 (pp. 42-43)		
Teste 3 (pp. 44-45)		
Raciocínio numérico		
Teste 1 (pp. 46-47)		
Teste 2 (pp. 48-49)		

Como desenvolver e melhorar a inteligência numérica

A segurança no trato com a matemática é uma capacidade de inestimável valor para a vida. As pessoas dotadas de forte inteligência numérica pensam e se comunicam por meio de idéias, instrumentos e técnicas matemáticas. São capazes de resolver problemas e usam os dados de modo sistemático para desenvolver padrões e explicações. As que têm talento para a matemática dão aos números um uso produtivo e significativo e conseguem aplicar essa capacidade à vida cotidiana e profissional.

A matemática pode ser uma das matérias mais assustadoras da escola em virtude do vocabulário e dos símbolos nela usados. Os professores têm dificuldade para dar vida à matéria; os alunos que não se sentem confiantes para lidar com números tendem a ver a matemática como um exercício puramente intelectual, sem muita relação com o mundo real. Com isso, também não conseguem compreender o sentido que os números podem ter fora da sala de aula. Entretanto, barreiras mentais como essas podem ser superadas de modo que você possa colher os ricos frutos que nascem da inteligência numérica.

Se a sua inteligência numérica é de satisfatória a boa, lembre que a matemática é como um edifício que se constrói tijolo por tijolo e cujas pedras fundamentais são a adição, a subtração, a multiplicação e a divisão. Domine cada um dos estágios e, quando ganhar mais confiança, passe a aplicar as operações em problemas mais complexos como o cálculo de porcentagens, razões e frações.

Se você é dotado de uma inteligência numérica superior, procure beneficiar-se dela em todos os aspectos da sua vida. Calcule se é melhor financiar um carro ou comprá-lo à vista, determine qual a melhor taxa de juros, verifique se deve investir em ações ou imóveis. Use suas habilidades nas suas finanças pessoais.

Busque dados e tabelas numéricas em sua vida cotidiana e pense em quais informações você gostaria de obter. Quando quiser fazer um empréstimo ou comprar um bem durável, verifique as várias propostas e faça o melhor negócio. Quem sabe você não queira até entrar num concurso de matemática?

Para as crianças
Estimule os seus filhos a sentir-se confiantes para lidar com números. Ajude-os a desenvolver a inteligência numérica, ajudando-os a entender melhor os conceitos numéricos. Eis algumas coisas que vocês podem fazer:
- Recitem em voz alta os números das casas no caminho a pé para a escola. Encoraje as crianças a contar quantas casas há na vizinhança, a perceber quais números são ímpares e quais são pares e a descobrir os algarismos que faltam na numeração das casas e prédios.
- Juntos, façam bolinhos ou biscoitos. Separem os ingredientes necessários, dividam a massa e liguem o *timer* do forno. A decoração dos doces com glacê e confeitos é uma outra oportunidade informal e descontraída para levar a criança a contar e medir.
- Dividam de modo divertido as porções do jantar ou os objetos cotidianos que vocês encontrarem.
- Inventem jogos numéricos com cartas de baralho ou jogos de tabuleiro.

3

INTELIGÊNCIA

LINGÜÍSTICA

O que é inteligência lingüística?

Os cientistas da fala reconhecem quatro regras básicas da linguagem falada — a fonologia, a sintaxe, a semântica e a pragmática — que podem ser compreendidas, aplicadas e habilmente manipuladas pelas pessoas dotadas de inteligência lingüística.

É a fonologia, os sons das palavras, que determina se elas rimam umas com as outras ("gato" e "sapato") ou são escritas de maneiras diferentes mas pronunciadas do mesmo modo ("conserto" e "concerto"). A sintaxe rege a ordem, a estrutura e a disposição sistemática das palavras nas frases e é ensinada nas escolas sob a forma de gramática. A semântica, um conhecimento mais aplicado, trata do sentido das palavras e das suas conotações. Muitas vezes as palavras têm de ser escolhidas com cuidado, pois pequenas diferenças de construção podem transmitir significados muito diferentes dos que se pretendia: pense na sutileza que separa "simples" de "simplista". Essa competência está intimamente ligada à inteligência lógica. A pragmática, por fim, é a capacidade de interpretar os significados pretendidos; é ela quem corrobora o fato de que as palavras faladas são apenas uma parte do "pacote" lingüístico. Para interpretar o que alguém está dizendo, é preciso considerar também a expressão facial, a linguagem corporal, o tom e as inflexões de voz e os esquemas lingüísticos mais sofisticados, como as expressões idiomáticas ("pagar o pato" ou "mudar de ares", por exemplo). A pragmática só é dominada num estágio avançado do desenvolvimento da criança e está ligada à inteligência emocional.

A inteligência lingüística se divide em três subcomponentes: a comunicação, a expressão e a capacidade de usar o poder verbal.

A comunicação

O ser humano é essencialmente um ser social. Nós desenvolvemos formas de comunicação que, embora sejam sofisticadas e exclusivas da nossa espécie, são compreendidas por todas as culturas. Comunicamo-nos oralmente quando conversamos em pessoa, pelo telefone e nas videoconferências; e usamos a comunicação não-oral nos e-mails, fax e cartas. Podemos assumir um estilo formal — quando damos uma palestra ou falamos numa reunião — ou informal — quando conversamos com os amigos ou tomamos notas num caderno. Você está sempre decidindo qual a melhor maneira de se comunicar com os outros, e é essa decisão que determina o resultado da comunicação.

A expressão
Para que a comunicação ocorra, é essencial que nos façamos entender. Todos sentimos a necessidade básica de persuadir o outro, dar vazão às nossas emoções e transmitir nossos sentimentos. A auto-expressão, em sua modalidade mais hábil e avançada, faz uso de métodos verbais e não-verbais: quando você quer cumprimentar uma amiga por ter sido promovida, você sorri (comunicação não-verbal), diz "meus parabéns" (comunicação verbal) e lhe dá um abraço (comunicação não-verbal).

O poder verbal
As palavras, unidades básicas da linguagem, são regidas pelas regras da fonologia, da sintaxe, da semântica e da pragmática. O poder verbal é a capacidade de manipular as letras e as palavras — o equivalente lingüístico da aritmética mental. Se você praticar e desenvolver a confiança em seu próprio poder verbal, poderá fazer dessa capacidade o fundamento de sua inteligência lingüística.

Por que a inteligência lingüística é tão importante?
Não há dúvida de que a linguagem é essencial para os que a utilizam para fazer carreira, como os escritores e atores. Mas como, na prática, as outras pessoas usam a linguagem? A linguagem tem quatro funções básicas na sociedade humana. É usada:

- Com finalidade retórica, para convencer as outras pessoas do nosso ponto de vista ou de uma proposta de ação. Esta função é importante em muitas interações interpessoais cotidianas, bem como para as atividades de administração e liderança;
- Com finalidade mnemônica, como instrumento para a memorização de informações: quer pelo simples ato de nomear verbalmente um objeto de maneira a garantir a lembrança, quer pela criação de um complexo esquema lingüístico, como um acróstico, para memorizar uma lista de supermercado, por exemplo;
- Com finalidade didática, para o ensino e o aprendizado do uso da linguagem como um veículo, seja ele oral (numa aula ou em discussões) ou não-oral (em livros e revistas acadêmicas, por exemplo);
- Com finalidade metalingüística: a linguagem, neste caso, é utilizada para explicar e refletir a si mesma, em expressões como: "O que você quer dizer?" ou "Pode repetir o que acabou de dizer?" Usamos a linguagem para falar sobre a linguagem.

As pessoas dotadas de inteligência lingüística gostam, em geral, de contar histórias, de debater e conversar, de apresentar verbalmente um assunto, de ler em voz alta, de representar, de fazer pesquisas em livros, de ouvir os outros falar e de inventar manchetes de jornal. Dentre os profissionais que precisam ter uma boa compreensão das palavras podemos citar os políticos, os escritores, os atores, os editores de jornais e revistas, os bibliotecários, os fonoaudiólogos, os advogados e os locutores e apresentadores de rádio e TV.

Você usa bem as palavras?

As palavras contêm em si a essência da linguagem e são os elementos básicos de que dispomos para nos comunicar. Se você aumentar o seu vocabulário e conhecer melhor os esquemas de formação e manipulação das palavras, desenvolverá seu poder verbal e será capaz de se expressar melhor e de compreender melhor diversos tipos de textos.

Há diversas maneiras de classificar as palavras: os sinônimos, como "rápido" e "ligeiro", têm o mesmo significado; os antônimos, como "grande" e "pequeno", têm significados opostos; os palíndromos, como "arara", são palavras ou frases que não mudam quando lidas de trás para a frente. Outras palavras, como "pena", têm dois significados (pluma ou tristeza).

É muito divertido brincar com as palavras. Essas brincadeiras, aliás, são o fundamento de muitas piadas e tiradas humorísticas. Os jornalistas (quer da imprensa escrita, quer da televisão) e os editores são exemplos de pessoas que precisam ter agudeza de espírito e um forte domínio da linguagem.

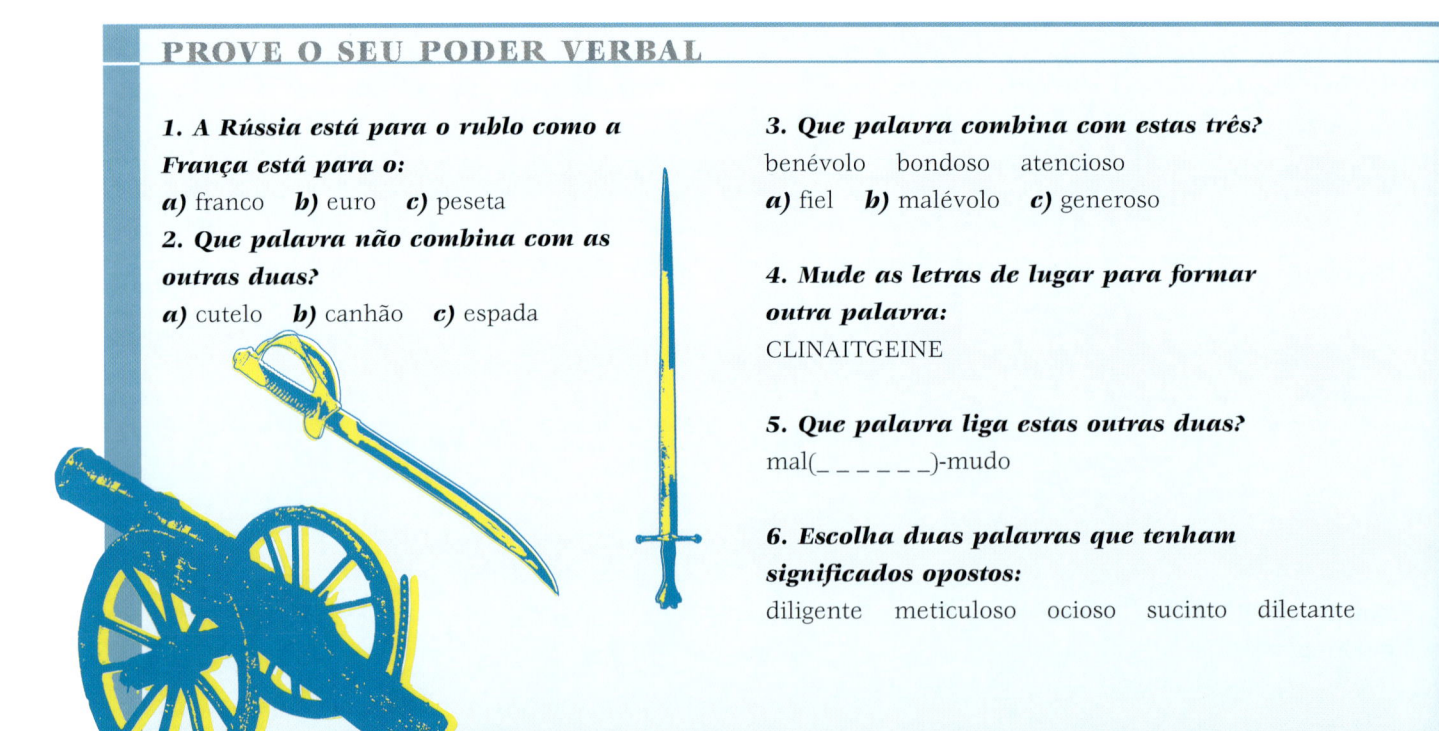

PROVE O SEU PODER VERBAL

1. A Rússia está para o rublo como a França está para o:
a) franco   *b)* euro   *c)* peseta

2. Que palavra não combina com as outras duas?
a) cutelo   *b)* canhão   *c)* espada

3. Que palavra combina com estas três?
benévolo   bondoso   atencioso
a) fiel   *b)* malévolo   *c)* generoso

4. Mude as letras de lugar para formar outra palavra:
CLINAITGEINE

5. Que palavra liga estas outras duas?
mal(_ _ _ _ _)-mudo

6. Escolha duas palavras que tenham significados opostos:
diligente   meticuloso   ocioso   sucinto   diletante

PODER VERBAL

⭐ Para melhorar

1. Faça uma brincadeira verbal com um amigo ou um colega: o primeiro a jogar diz o primeiro e o último nome de uma pessoa famosa — Abraham Lincoln, por exemplo. O segundo diz o nome de uma personalidade cujo primeiro nome tenha a mesma inicial do segundo nome da celebridade anterior — neste caso, "L", como Leonardo DiCaprio. O primeiro diz então um nome famoso que comece com "C" (como Christina Rossetti). O segundo tem agora de encontrar um nome com "R", mas, se escolher alguém cujos dois nomes comecem com a mesma letra (como Ronald Reagan), a direção da brincadeira se inverte.

2. Escreva algumas expressões idiomáticas que você ouviu recentemente. Repare atentamente nas palavras de cada uma delas e veja como a linguagem pode ser utilizada com criatividade.

7. O que estas palavras têm em comum?

vaso   copo   frasco   jarro   cântaro

10. O que há de especial em...?
a namorada romana

8. Que palavra vem a seguir?
bala   beliche   bico   boiada
a) bueiro   *b)* bule   *c)* buclê

9. Que palavra partilha destes dois significados?
instrumento cortante
cadeia de montanhas

RESPOSTAS E INTERPRETAÇÕES

Marque 1 ponto para cada resposta correta. Pontuação máxima = 10

1. b)
2. b)
3. c)
4. inteligência
5. criado
6. diligente, ocioso
7. Todos são recipientes de líquidos
8. c)
9. serra
10. Trata-se de um palíndromo.

8 pontos ou menos — seu poder verbal é médio. Você tende a ver as palavras mais como um instrumento funcional do que como um veículo de criatividade. Para desenvolver essa capacidade, procure maneiras mais criativas de usar as palavras.

9 pontos ou mais — você é dotado de um poder verbal excelente, tem um grande vocabulário e provavelmente procura brincar criativamente com as palavras.

Você tem um poder verbal avançado?

O PODER VERBAL AVANÇADO baseia-se num conhecimento, numa compreensão e num controle mais profundo das palavras. As pessoas dotadas dessa capacidade quase chegam a ver as palavras como jogos que podem ser manipulados de maneira inteligente e divertida. Um dos exemplos clássicos disso é o anagrama: as letras de uma palavra são embaralhadas e depois formam outra palavra. Este talento é usado em sua forma mais pura nos momentos de lazer, mas a capacidade de manipular e desconstruir as palavras é usada também pelos professores de línguas estrangeiras e pelos que traduzem textos escritos ou falados.

Quando você perceber que as palavras constituem a origem de toda a linguagem, vai ser capaz de conhecer mais a fundo o seu próprio poder verbal. O desenvolvimento deste o ajudará a decifrar o sentido de palavras desconhecidas e as origens de expressões comuns.

AVALIE SEU PODER VERBAL AVANÇADO

1. Que palavras se seguiriam às seguintes e as precederiam para formar novas palavras ou expressões?
porta (- _ _ _) (_ _ _ _ _ -) flor (_ _ _ _ _ _ -) galho

2. Quantas palavras você consegue formar a partir de:
CORDA?

3. Retire uma letra de cada uma das palavras abaixo e disponha todas as letras retiradas de modo a formar uma nova palavra de dez letras.
Qual é essa palavra?
salsa   baile   adeus   porte   sonda   autor
ainda   carta   naval   afiar

4. Coloque as letras que compõem os nomes destes quatro animais (gato, urso, sapo, puma) em cada um dos quadros abaixo, de tal modo que as letras na diagonal formem o nome de mais um animal.

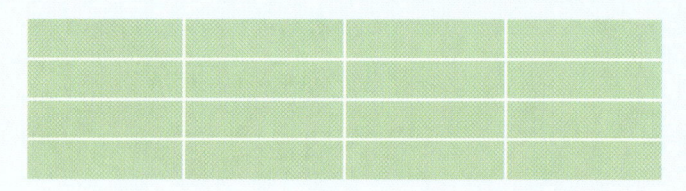

5. Crie nove palavras a partir das pistas colocadas entre parênteses. Componha uma última palavra a partir das letras acrescentadas.
_ _ lheto (papel) _ _ fasto (funesto) _ _ nual (livro)
_ _ lego (sopro) _ _ gócio (ocupação) _ _ deira (árvore)
_ _ _ nte (água) _ _ gro (cor) _ _ rmota (animal)

PODER VERBAL

⭐ Para melhorar

Escreva a primeira metade da primeira frase de um artigo de jornal ou de revista. Termine a frase de tantas maneiras diferentes quantas possível. Se o artigo começar, por exemplo, com a frase "O *stress* provocado pela vida profissional pode...", termine-a com: "... provocar um número maior de faltas ao serviço", ou "... diminuir com a prática da yoga" e assim por diante. Para usar de novo a primeira metade de uma frase, você terá de recorrer ao seu vocabulário e à sua criatividade verbal.

6. Preenchendo os espaços vazios, coloque estes animais na ordem correta. Qual é a última palavra?

cabra / porco / cobra / urubu / bisão

p _ _ _ _
   _
     _
      _ _ _ _ _
         _ _
          _
            _
             _ _ _ _ _

7. Experimente estes anagramas. Mude as letras de lugar e encontre outra palavra.

soar / elmo / cedo / saco / tipo

RESPOSTAS E INTERPRETAÇÕES

Marque 1 ponto para cada resposta correta.
Pontuação máxima = 7

1. voz/couve/quebra
2. pelo menos 10 — roda, ovo, arco, ouro, dor, cor, doca, voca, cardo, ova.
3. assinatura: (a)deus; sal(s)a; (n)onda; a(t)nda; (n)aval; (a)fluir; cur(t)a; a(u)tor; po(r)te; b(a)ile.
4.

P	U	A	V
S	A	P	O
G	A	L	O
U	R	S	O

5. fo/ne/ma
6. cobra
7. Possíveis combinações: raso, mole, doce, caos, pito.

5 pontos ou menos — seu poder verbal avançado é médio. Pode ser que você nunca tenha pensado na construção e na derivação das palavras. Se desenvolver essa capacidade, seu vocabulário e sua fluência verbal vão melhorar.

6 pontos ou mais — você é dotado de um excelente poder verbal avançado e usa seu conhecimento da construção das palavras para melhorar o vocabulário e a capacidade de expressão. Provavelmente tem facilidade para usar a linguagem e é, no geral, um bom comunicador.

Você sabe solucionar jogos de palavras?

Se você usar as palavras de diversas maneiras, vai adquirir mais familiaridade com elas e se sentirá mais confiante em usá-las. Existem muitas revistas e websites de jogos de palavras, desde os muito simples até os extremamente complexos. Neles, você vai encontrar atividades que podem ser utilizadas para o desenvolvimento do poder verbal. Certos adeptos desses jogos preferem determinados criadores de jogos, determinados tipos de jogo e determinados níveis de dificuldade.

Diz-se que o jogo de palavras cruzadas é um dos mais conhecidos e populares no mundo inteiro. O primeiro jogo de palavras cruzadas de que se tem notícia foi criado por Arthur Wynne e publicado em 21 de dezembro de 1913 num jornal dominical norte-americano chamado *The New York World*. Quase todos os jornais em ambos os lados do Atlântico aproveitaram essa idéia e as palavras cruzadas se tornaram um passatempo sério para pessoas adultas. A resolução de jogos de palavras cruzadas exige a capacidade de "ver" as palavras segundo padrões geométricos que podem ser manipulados, e é a prova máxima do poder verbal.

PROVE A SUA CAPACIDADE

1. Caça-palavras de Meios de Transporte
Encontre abaixo 10 nomes de fruta. Procure na horizontal, na vertical, na diagonal, da esquerda para a direita, da direita para a esquerda, de cima para baixo, de baixo para cima. Certas letras podem ser usadas mais de uma vez.

T	X	M	O	A	L	E	M
P	E	R	A	F	J	I	A
R	A	A	O	E	A	J	M
A	L	A	J	A	C	E	A
M	I	C	Y	E	A	O	O
A	I	A	G	V	R	W	A
T	T	I	V	O	S	E	D
A	E	T	E	U	J	A	C

2. Enigma Alimentar
Preencha os espaços vazios, encontrando 10 tipos diferentes de alimentos a partir das pistas.

_ _ _ _ _ (a)   _ _ _ _ _ _ _ _ _ (b)
_ _ _ _ _ _ _ (c)   _ _ _ _ _ _ _ (d)
_ _ _ _ _ _ _ _ (e)   _ _ _ _ _ _ (f)
_ _ _ _ _ (g)   _ _ _ _ _ _ _ (h)
_ _ _ _ _ (i)   _ _ _ _ _ _ (j)

Pistas: pastelão recheado (a); bolinho de carne (b); doce de ovos e coco (c); legume alaranjado (d); carne de porco curada (e); grão estourado (f); iguaria italiana (g); massa de panela (h); anel de massa (i); verduras (j).

⭐ Para melhorar

1. Aumente o seu vocabulário: aprenda uma palavra nova todos os dias e use-a numa conversa. Escolha-a num dicionário, de preferência como alternativa a uma palavra que você usa demais.
2. Jogue jogos de palavras como palavras cruzadas, "stop" e outros.
3. Brinque de inventar abecedários para categorias de coisas. Você pode jogar sozinho ou em família. Por exemplo, pense em vegetais comestíveis que comecem com a letra "a" (aspargos), "b" (beterraba), "c" (cenoura) e assim por diante. Algumas categorias possíveis: plantas, nomes de pessoas, personagens da TV, coisas que se podem encontrar numa garagem ou oficina, etc.

3. Força dos Animais

Preencha os espaços vazios e forme nomes de animais.

a) h _ _ p _ t _ m _
b) o _ _ _ g _ t _ n _ _
c) c _ _ _ c h _ _ a
d) _ l _ g _ t _ r
e) r _ n _ c _ _ _ _ t _
f) _ l _ _ a _ t _
g) _ r _ r _ n h _
h) a _ t _ l _ _ e
i) l _ _ p a _ d _
j) _ r _ _ t _ r r _ _ c _

RESPOSTAS E INTERPRETAÇÕES

Marque 1 ponto para cada resposta correta.
Pontuação máxima = 30

1. [caça-palavras]

2. a) torta; b) hambúrguer; c) quindim; d) cenoura; e) presunto; f) pipoca; g) pizza; h) panqueca; i) rosca; j) salada.

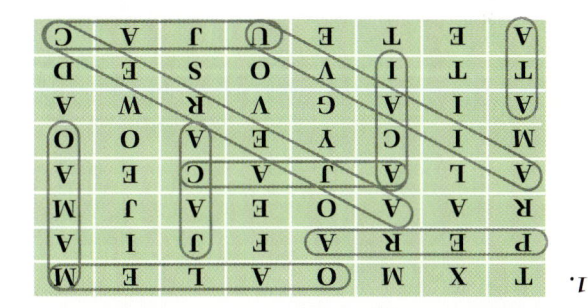

3. a) hipopótamo; b) orangotango; c) chinchila; d) alligator; e) rinoceronte; f) elefante; g) ariranha; h) antílope; i) leopardo; j) ornitorrinco.

25 pontos ou menos — você é dotado de uma capacidade média de brincar com as palavras; talvez não conhecesse esse tipo de jogo. A capacidade de manipular as palavras com habilidade é importante para a expressão oral e escrita. Aprenda a reparar nas palavras e a pensar em como elas podem ser alteradas.

26 pontos ou mais — você é dotado de uma excelente capacidade de brincar com as palavras e provavelmente gostou de fazer este teste. É possível que goste de resolver jogos de palavras como passatempo. Tem um bom vocabulário, sabe pensar criativamente e consegue ver as palavras de maneiras diversas.

Você sabe brincar com as palavras?

A COMUNICAÇÃO VERBAL é o principal método de interação humana; nós passamos a infância inteira aprendendo e aperfeiçoando essa capacidade. Os bebês falam no seu tatibitate, as crianças de 1 ou 2 anos já conseguem falar certas palavras simples, as crianças em idade pré-escolar sabem organizar diversas palavras em frases e as crianças em idade escolar conversam sem dificuldade com os colegas. Na infância, os seres humanos usam e compreendem uma comunicação simples e direta, baseada unicamente na fonologia e na sintaxe. A comunicação adulta é muito mais complexa, pois emprega a semântica e a pragmática. Para interagir com êxito nas diversas esferas da nossa vida, temos de desenvolver e adaptar a comunicação verbal. Quando você fala com uma criança, dirige um seminário, conversa com o seu companheiro ou companheira ou coordena uma reunião, você muda subconscientemente a sua atitude verbal de acordo com o ouvinte. A escolha do vocabulário, a formalidade ou informalidade do registro e o uso do humor variam muito. Para aumentar essa capacidade, você pode praticar a comunicação segundo o estilo de jogos de situação.

TESTE SUA CAPACIDADE DE COMUNICAÇÃO VERBAL

Junte um grupo de pelo menos 4 pessoas. Reveze-se com as outras no ato de se colocar nas seguintes situações artificiais, que devem parecer tão naturais quanto possível.

1. Recite um poema infantil no estilo de um de seus melhores amigos ou amigas.

2. Escolha um vulto histórico como William Shakespeare ou um índio da época do descobrimento. Pense em como essa pessoa se comportaria, falaria e se relacionaria com as outras se caísse de repente em pleno século XXI. Represente esse personagem durante um jantar.

3. Pegue um artigo de jornal, um poema ou uma história e recite-o usando o ritmo do hino nacional e as rimas típicas dos cantores de rap.

4. Entreviste a si mesmo como se você fosse o apresentador de um programa de auditório. Considere a possibilidade de diferenciar o seu próprio estilo de falar do estilo do entrevistador e pense em quais seriam as perguntas que você faria a si mesmo.

5. Representem uma festa na qual cada convidado tem uma profissão misteriosa e todos procuram descobrir que profissões são essas. Deixe a sua em segredo pelo maior tempo possível e responda com honestidade a todas as perguntas que lhe forem feitas. Se você for "médico", por exemplo, e lhe perguntarem se você usa uniforme, responda: "Às vezes uso uma capa." Você respondeu com a verdade, mas se absteve de dizer que essa capa é branca e não é usada na rua.

COMUNICAÇÃO 65

"A voz do Grande Espírito se ouve nas guas tempestuosas..."

"O homem que não tem vícios tem pouquíssimas virtudes..."

figura-se-me ue a senhora testa demais..."

RESPOSTAS E INTERPRETAÇÕES

Se você procurou realizar as diversas tarefas e conseguiu cumprir a maioria das instruções, é porque é dotado de uma capacidade média de comunicação verbal. Provavelmente se sentiu tenso quando se viu no papel de personagem principal; se conseguir aumentar a sua confiança para falar em público, vai desenvolver melhor essa sua capacidade.

Se você gostou de realizar todas as atividades, seguiu cuidadosamente as instruções e conseguiu ainda agir com bom humor e introduzir novos conteúdos em suas interpretações, é porque é dotado de uma excelente capacidade de comunicação verbal.

★ **Para melhorar**
Assista o seu filme predileto ou o seu programa de televisão favorito. Perceba como os roteiristas e atores conseguem transmitir informações complexas (emoções, por exemplo) sobre os personagens.

Você sabe interpretar expressões faciais?

A COMUNICAÇÃO NÃO se reduz à fala. Aliás, a comunicação não-verbal é um dos instrumentos de comunicação mais sofisticados que temos à nossa disposição. Se perguntamos a alguém: "Como vai?", e a pessoa responde: "Muito bem, obrigado", não nos limitamos a aceitar as palavras que nos foram ditas. Assimilamos também o tom de voz da pessoa (alegre e ritmado ou monótono), sua expressão facial (contente ou triste) e sua linguagem corporal (corpo aberto ou fechado). As informações não-verbais revelam o verdadeiro significado da resposta. Se você acrescentar os sinais não-verbais às informações verbais disponíveis, obterá uma imagem mais completa da realidade. A compreensão e o uso da comunicação não-verbal é um elemento importantíssimo da comunicação pessoal direta. Certas profissões exigem esta capacidade específica: um investigador policial que interroga um suspeito tem de estar atento à linguagem corporal deste, a qual pode revelar coisas que ele não quer dizer.

Além de ajudar você a compreender os outros, os sinais não-verbais têm um efeito sobre as pessoas que o rodeiam (seus colegas, por exemplo). Para ser compreendido, faça uso de sinais inconfundíveis, sem nenhuma ambigüidade.

ATÉ QUE PONTO VOCÊ COMPREENDE A COMUNICAÇÃO NÃO-VERBAL?

Examine cuidadosamente as expressões faciais abaixo e relacione-as às emoções escritas à direita:

Envergonhado, surpreso, ansioso, aborrecido, com ciúmes.

1

2

3

COMUNICAÇÃO

⭐ Para melhorar

1. Assista a um filme com o volume no mínimo. Tente deduzir o que está acontecendo a partir das expressões faciais dos protagonistas.

2. Brinque de charadas com os amigos. Transmita pela mímica o nome de um livro, peça de teatro, filme ou programa de televisão. Procure passar o conceito como um todo — como no caso da peça e filme *Cabaré*, por exemplo, em que você pode se recostar numa poltrona com um chapéu-coco na cabeça e fingir que está cantando — ou dividir o título em suas diversas palavras ou sílabas.

3. Fique atento às dissonâncias entre as palavras ditas e o tom de voz usado. Se alguém lhe diz "Que interessante!", mas com uma entonação pouco vibrante, pode ser que esteja na verdade entediado. Tente dizer "Que horror!" com um sorriso e uma entonação alegre. A prática o tornará mais consciente de suas reações subconscientes, bem como as das outras pessoas.

4

5

RESPOSTAS E INTERPRETAÇÕES

Marque 1 ponto para cada resposta correta. Pontuação máxima = 5

1. Ansioso
2. Aborrecido
3. Com ciúmes
4. Envergonhado
5. Surpreso

3 pontos ou menos — você é dotado de uma capacidade média de comunicação não-verbal e provavelmente não chega a compreender perfeitamente a linguagem falada e corporal das outras pessoas. Lembre-se de olhar para a pessoa como um todo.

4 pontos ou mais — você é dotado de uma excelente capacidade de comunicação não-verbal e provavelmente compreende as verdadeiras intenções e sentimentos por trás da aparência superficial das pessoas. É capaz de usar com habilidade tanto a linguagem corporal quanto expressões faciais para se comunicar.

O meio é a mensagem para você?

ALÉM DAS PALAVRAS e dos gestos, a comunicação humana tem um outro fator: o meio, modo ou canal. Com as novas tecnologias, a interação direta, a carta e o telefone já não são os únicos métodos de comunicação à nossa disposição: podemos optar também pelo fax, pela secretária eletrônica, pelo e-mail, pelas videoconferências e pelas mensagens de texto. Cada um desses meios tem as suas vantagens e desvantagens e a escolha do meio depende de fatores como a disponibilidade, a rapidez, os benefícios que vêm de a outra pessoa poder ver você — ou não — ou de você poder vê-la. Nunca antes tivemos tanta oportunidade de escolha! Quando nos comunicamos, é o resultado que queremos obter que determina a nossa ação. Quando não temos tempo ou queremos evitar uma discussão, por exemplo, podemos optar por não falar diretamente com a outra pessoa: adotamos um método de comunicação no qual não tenhamos de falar "ao vivo" — deixamos uma mensagem de voz ou enviamos um e-mail. Saber escolher o melhor método de comunicação para cada finalidade, especialmente nos contatos mais importantes, é uma grande garantia de sucesso. As campanhas publicitárias fazem a mesma coisa: quando um novo produto é lançado, os comerciais de televisão, anúncios de revista e classificados de jornal representam métodos de comunicação diferentes, que fazem apelo a públicos determinados.

QUAL SERIA O MELHOR MEIO DE COMUNICAÇÃO?

Para cada pergunta, escolha a resposta que representaria o melhor uso para um dado método de comunicação.

1. Você escreveria uma carta para:
a) Seus pais, convidando-os a passar com você um feriado.
b) Uma agência de viagens, pedindo uma compensação pelo desastre que foram as suas férias.

2. Você faria um telefonema para:
a) Discutir problemas de mal aproveitamento do tempo com um membro de sua equipe.
b) Marcar uma reunião com um contato comercial.

COMUNICAÇÃO 69

⭐ Para melhorar

1. Tome nota dos métodos de comunicação pelos quais você optou durante a semana e avalie se fez a melhor escolha. Você usa sempre o mesmo método? Ele costuma funcionar? Ou existem circunstâncias em que um método alternativo poderia dar resultados melhores?

2. Passe um dia inteiro sem mandar um único e-mail. Certas empresas criaram o "dia sem e-mail" para estimular os funcionários a conversar pessoalmente. Proponha essa idéia no lugar onde você trabalha e depois procure avaliar a eficácia dela para os negócios.

RESPOSTAS E INTERPRETAÇÕES

Mais respostas a do que b — você é dotado de uma capacidade de comunicação média e provavelmente teve bastante dificuldade para identificar as diferenças entre os métodos mais sutis de comunicação. Para desenvolver essa capacidade, pense no que você quer obter com a comunicação e coloque-se no lugar da outra pessoa.

Mais respostas b do que a — você é dotado de uma excelente capacidade de comunicação e tem talento para escolher o método mais adequado para atingir o resultado desejado. Provavelmente você atinge a maioria dos seus objetivos, pois sabe analisar as personalidades e é capaz de perceber e compreender com rapidez os pontos de vista da outra pessoa.

3. *Você encontraria alguém pessoalmente para:*
a) Fazer uma reserva para um jantar.
b) Negociar os termos de um novo contrato com um cliente.

4. *Você deixaria uma mensagem na secretária eletrônica para:*
a) Candidatar-se a um emprego.
b) Lembrar o seu companheiro ou companheira que seus amigos vão visitá-los à noite.

5. *Você mandaria um e-mail para:*
a) Uma amiga íntima que acabou de terminar um antigo relacionamento.
b) Um colega, para informá-lo sobre os projetos implementados na última reunião.

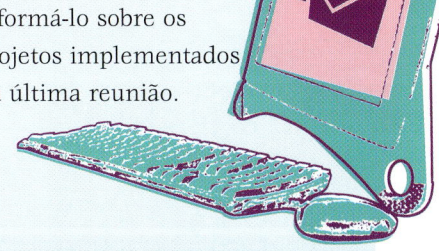

Inteligência Lingüística

Você tem jeito para lidar com as palavras?

Todos os animais emitem sons e ruídos distintos para comunicar sua localização, a proximidade do perigo e a disponibilidade de alimento. Nós, seres humanos, dispomos de uma larga variedade de modos de expressão. Embora os recém-nascidos só saibam chorar para exprimir suas necessidades de alimento, calor e conforto, os pais atentos são capazes de perceber as diferenças e agir de acordo com essa percepção.

Os seres humanos desenvolveram uma fala altamente sofisticada, planejada e organizada para alcançar resultados específicos. Escolhemos deliberadamente as palavras e o modo de combiná-las, e ainda acrescentamos expedientes como o humor para dar mais cor e profundidade à linguagem. Esse tipo de eloqüência vai ajudá-lo a comunicar melhor as suas idéias e sentimentos às outras pessoas, que serão então mais capazes de compreender o que você deseja. Trata-se de uma capacidade que podemos desenvolver durante toda a nossa vida.

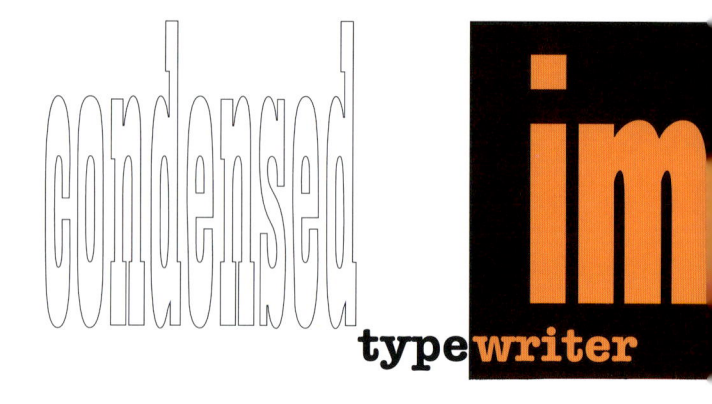

O QUE VOCÊ RESPONDE?

Qual das duas opções você escolheria?

1. Você está num jantar comemorando o aniversário de um amigo. De repente, o anfitrião lhe pede que faça um pequeno discurso. Você:
a) Entra em pânico e propõe rapidamente um brinde.
b) Diverte a todos com a história de como vocês se conheceram e levanta o copo depois de fazer um emocionado convite para que todos bebam à felicidade do amigo.

2. Você chega ao jardim-de-infância para pegar sua sobrinha e a professora lhe pede que, enquanto ela vai buscar a menina, você conte uma história às crianças para distraí-las. Você:
a) Escolhe uma história conhecida, como Chapeuzinho Vermelho.

EXPRESSÃO

⭐ Para melhorar

1. Aumente a amplitude do seu vocabulário: escolha aleatoriamente uma palavra do dicionário todos os dias, antes de ir trabalhar. Aprenda o seu significado e a sua pronúncia. Use-a durante o dia nas conversas com os colegas.

2. Aumente a sua fluência verbal. Invente verbetes de dicionários para palavras que você vir em seu caminho para o trabalho — em anúncios, em jornais e em vitrines de lojas. Como você definiria palavras como "rodovia", "guerra" ou "calças"?

b) Inventa um conto cheio de imaginação, com dragões e princesas, para prender a atenção das crianças.

3. Alguém lhe pede que aprenda um poema de cor. Você:
a) Escreve-o várias vezes até memorizá-lo.
b) Recita-o em voz alta até sabê-lo perfeitamente.

4. Você chega em casa do trabalho. Quando acende a luz, a família e os amigos gritam "Surpresa!" É seu aniversário e eles organizaram uma festa em segredo. Você:
a) Procura imediatamente desviar a atenção da sua pessoa.
b) Não perde a compostura e, cheio de confiança, faz um discurso para agradecer a todos os que organizaram a festa.

5. O chefe lhe pede que apresente os resultados de um projeto à gerência. Você:
a) Se sente ansioso por ter de ficar de pé na frente de tanta gente.
b) Fica animado, pois falar em público é o seu forte.

6. Você é conhecido entre os colegas como um grande piadista ou contador de histórias?
a) Não, geralmente fico só ouvindo.
b) Sim, gosto de contar histórias.

RESPOSTAS E INTERPRETAÇÕES

Mais respostas a do que b — você é dotado de uma capacidade média de expressão e pode ter dificuldade para articular os próprios pensamentos num tempo curto, ou para transmitir aos outros idéias mais complicadas. Para melhorar, prepare-se conscientemente para as reuniões profissionais e acontecimentos sociais, de modo a ter algumas "âncoras" verbais nas quais sempre possa se apoiar.

Mais respostas b do que a — você é dotado de uma excelente capacidade de expressão verbal e consegue espontaneamente dar forma verbal a pensamentos complexos. Provavelmente é conhecido pela presença de espírito e pela habilidade nas discussões. É capaz de dar uma resposta coerente e eloqüente à maioria das situações.

Você é capaz de escrever sobre si mesmo?

A EXPRESSÃO ESCRITA, como sua equivalente oral, é usada em todos os campos da vida. Na vida pessoal, nós deixamos recados para os familiares e instruções para a babá, escrevemos cartas e cartões postais e fazemos anotações num diário. Profissionalmente, escrevemos memorandos, e-mails, relatórios e cartas para colegas e clientes. Muitas vezes, o sucesso no lar e no trabalho depende da nossa capacidade de comunicar idéias por escrito com precisão e de modo adequado. Os jornalistas e escritores ganham a vida escrevendo criativamente e sabem adaptar seu estilo de prosa ao público-alvo de seus escritos.

Ao contrário da sua equivalente oral, a expressão escrita pode ter por alvo um público amplo ou restrito. Às vezes, num diário ou num poema que não mostramos a ninguém, nós escrevemos só para nós mesmos. Em outras ocasiões, mandamos uma carta que deve ser lida por uma única pessoa. Já os escritores profissionais escrevem para o grande público e alcançam o sucesso quando suas obras são lidas por um grande número de pessoas.

VOCÊ SABE COMUNICAR SUAS IDÉIAS?

Prepare os textos seguintes em casa, quando estiver sozinho. Peça a três amigos que façam o mesmo. Todos devem digitar e imprimir os textos antes de vocês se reunirem. Coloquem todas as descrições sobre uma mesa, voltadas para cima, e procurem saber a quem elas se referem.

Atividade 1
Escreva um anúncio para os classificados amorosos do jornal. Comece dando uma descrição de si mesmo, seguida por informações sobre o tipo de pessoa que você gostaria de conhecer. Pense se você deve se descrever física ou emocionalmente e se está procurando diversão ou compromisso; defina quais são as qualidades ideais que você procura numa futura companhia.

Atividade 2
Escreva um anúncio publicitário no qual você descreve a sua personalidade como um novo modelo de automóvel. Como você resumiria a sua pessoa em termos de estilo (A), de um setor do mercado (B), de desempenho (C), da aparência (D) e do público-alvo (E)?

⭐ Para melhorar

1. A leitura é um meio excelente para o desenvolvimento da expressão escrita, pois você pode ver de que maneira os outros se expressam. Se quiser melhorar a sua redação no campo profissional, leia um relatório que conquistou a admiração de todos. Se quiser melhorar a capacidade de redação criativa, leia um poema ou um conto do qual você gostou especialmente. Faça uma lista dos motivos que levaram você a achar essas obras tão boas.

2. Compre um pacote de cartões em branco para que você possa expressar seus próprios sentimentos em vez de assinar seu nome debaixo das palavras de outra pessoa. Se você variar o estilo de texto ou escolher situações inusitadas para dar os cartões, isso lhe abrirá novas e interessantes possibilidades de expressão escrita.

RESPOSTAS E INTERPRETAÇÕES

Se nem todos os seus amigos adivinharam sua identidade a partir dos textos que você escreveu, é porque você é dotado de uma capacidade média de expressão escrita. Pode ser que, para se comunicar com os outros, você se fie mais na expressão oral. O desenvolvimento da expressão escrita vai beneficiar sua carreira e lhe dar mais instrumentos para expor as suas idéias. Procure mandar um e-mail numa ocasião em que normalmente você daria um telefonema.

Se todos os seus amigos adivinharam a sua identidade a partir dos textos que você escreveu, é porque você é dotado de uma excelente capacidade de escrever e provavelmente gosta de se expressar por escrito, tanto no trabalho quanto na vida pessoal. Para desenvolver esse talento, adote o passatempo de escrever textos criativos.

Você saberia fazer um bom discurso?

FALAR EM PÚBLICO é uma das provas mais difíceis da capacidade de expressão lingüística, pois, nesse caso, a comunicação geralmente segue uma via de mão única: você fala e o público ouve. No geral, o falante só recebe comentários orais quando o discurso termina. Isso determina uma interação artificial e, muitas vezes, difícil.

Antes de escrever um discurso, é importante que você identifique o objetivo que quer atingir. Quer partilhar informações ou persuadir as pessoas? Antes de fazer pesquisas sobre o tema, pense em quem será o seu público. Quando se sentar para escrever, dedique muita atenção à introdução e à conclusão, uma vez que são elas que dão o tom do discurso e determinam-lhe a estrutura. Na hora de discursar, decida se vai empregar um estilo mais formal ou mais informal e, de acordo com essa decisão, escolha os acessórios de que vai lançar mão durante a apresentação.

A desenvoltura no falar em público é uma capacidade essencial para os negócios e para a vida acadêmica, especialmente nos patamares mais elevados dessas atividades. Fora da vida profissional, essa capacidade é mais utilizada nas reuniões de família, nos casamentos e nos aniversários. Todos se lembram de um grande discurso que prendeu a atenção; pode ser que você seja o próximo a ser chamado a discursar.

TESTE SEU PODER DE EXPRESSÃO

Você foi convidado a discursar no casamento do seu amigo Chris. Apresentamos abaixo os fatos fundamentais. Coloque-os na ordem correta e use essas informações como fundamento do roteiro do discurso. Profira o discurso em voz alta, sozinho ou para um amigo, como se o estivesse proferindo para os convidados do casamento.

1. O primeiro apartamento de Chris ficava a um quarteirão de onde ele trabalhava. O telhado tinha goteiras e, quando chovia, o apartamento inundava.
2. Chris nasceu em 21 de abril de 1968, em Chicago, durante uma tempestade.
3. Conheceu Megan, sua noiva, numa convenção de jornalistas esportivos. Foi amor à primeira vista.
4. Os pais dele se mudaram para Seattle, onde Chris freqüentou a escola e participou de campeonatos de natação.
5. Você ficou encarregado de decidir qual seria o tema da decoração da festa de casamento.
6. Vocês se conheceram na faculdade, onde ambos jogavam basquete.
7. Chris lhe apresentou Megan uma semana depois de conhecê-la.
8. Chris fez faculdade de geografia em São Francisco.
9. Chris pediu a mão de Megan em casamento no Natal seguinte.
10. O primeiro emprego dele foi de redator de uma revista de esportes de Nova York.

⭐ Para melhorar

1. Relacione cinco tópicos incomuns em cinco pedacinhos de papel. Dobre os cinco e coloque-os no bolso. Durante o dia, quando estiver desocupado, tire um papelzinho do bolso e fale por cinco minutos sobre esse assunto. Faça isso sozinho e com as pessoas ao seu redor.

2. Os discursos mais memoráveis, informativos e divertidos se valem de anedotas, histórias e fatos incomuns para segurar a atenção do público. Num caderno, tome notas de fatos ou episódios interessantes que lhe chamaram a atenção, colecione-os e use-os para "rechear" os seus futuros discursos.

RESPOSTAS E INTERPRETAÇÕES

A ordem correta dos temas do discurso é 2-4-8-6-10-1-3-7-9-5, que corresponde à ordem cronológica dos acontecimentos.

Se você determinou a ordem acima ou uma parecida, e além disso acrescentou ao discurso outras histórias e pitadas de humor, é porque é dotado de uma excelente capacidade de expressão e é capaz de construir um discurso que chame a atenção do público. Provavelmente faz as apresentações de seus projetos no trabalho e gosta de oferecer brindes nas reuniões familiares.

Se você não colocou os fatos na ordem correta nem acrescentou pequenos adornos ao discurso, é porque é dotado de uma capacidade média de expressão. A maioria das pessoas se sente ansiosa quando tem de falar em público; por isso, saiba que você não está sozinho. Acostume-se a falar com freqüência sobre alguma coisa — por menor que seja — para habituar-se a prender a atenção dos outros com a sua voz.

Sua inteligência lingüística

Depois de concluir todos os testes, você já pode listar seus resultados para ter uma visão geral dos seus pontos fortes. Marque os resultados dos testes nos campos correspondentes a cada um.

Para você, as palavras são uma fonte de prazer ou um simples canal de comunicação?

- Se você marcou 7 pontos ou mais na coluna "Médio", sua inteligência lingüística é suficiente. Você tende a usar as palavras e a linguagem como instrumentos e não como fontes de prazer.
- Se você marcou 3 ou 4 pontos em ambas as colunas, você é dotado de uma boa inteligência lingüística. Tende a usar as palavras com confiança quando a situação o exige, mas elas não representam o seu passatempo favorito.
- Se você marcou 7 pontos ou mais na coluna "Excelente", você é dotado de uma inteligência lingüística superior. Gosta dos jogos de linguagem e vê as palavras como uma fonte de prazer.

Como desenvolver e melhorar a inteligência lingüística

A linguagem é uma ferramenta universal que nos permite comunicar, persuadir, aprender, ensinar e entreter. O desenvolvimento das capacidades lingüísticas deve ser uma fonte de diversão e satisfação; por isso, não perca de vista as áreas nas quais você quer melhorar e pense nas recompensas que vai receber quando desenvolvê-las. Você gostaria de se expressar melhor nas reuniões de trabalho? Gostaria de ter mais confiança para falar em público? Pretende encontrar um canal de expressão criativa? Quer escrever relatórios ou cartas com autoridade?

Se a sua inteligência lingüística é de satisfatória a boa, qual é o seu ponto mais forte — a comunicação oral ou a escrita? Para a maioria das pessoas, uma dessas duas atividades é mais natural e mais fácil do que a outra. Se você fala com mais fluência do que escreve, procure desenvolver um estilo de prosa que reflita o seu jeito de falar. Se gosta de escolher cuidadosamente as palavras na hora de escrever, procure ficar mais tranqüilo na hora de se comunicar oralmente.

Se você é dotado de uma inteligência lingüística superior, dedique-se a uma forma artística que use a linguagem, como a poesia, e procure desenvolvê-la nos momentos de lazer. Faça um curso de redação criativa, explore diversos estilos de poesia, freqüente saraus de poesia e crie suas próprias composições. Certos clubes de poesia têm sessões de "microfone aberto", em que os fre-

	Médio ✓	*Excelente* ✓
Poder verbal		
Teste 1 (pp. 58-59)		
Teste 2 (pp. 60-61)		
Teste 3 (pp. 62-63)		
Comunicação		
Teste 1 (pp. 64-65)		
Teste 2 (pp. 66-67)		
Teste 3 (pp. 68-69)		
Expressão		
Teste 1 (pp. 70-71)		
Teste 2 (pp. 72-73)		
Teste 3 (pp. 74-75)		

qüentadores são encorajados a apresentar os próprios trabalhos e a submetê-los à apreciação das outras pessoas. Além disso, você pode:

- Criar um diário e praticar a sua capacidade de expressão escrita, reservando todos os dias algum tempo para escrever. Escolha um determinado estilo de prosa e estabeleça para si mesmo a meta de escrever um dado número de palavras por dia. Escreva nas formas de carta, de romance, de peça de teatro, de relatório e de biografia. Descreva os lugares em que você esteve, as histórias contadas pelas pessoas com quem conversou e, em forma de diálogo, relatos detalhados das conversas que teve.
- Se você quiser melhorar a sua capacidade de comunicação oral, organize uma noite de debates com os amigos. Escolham um tema controverso. Num quadro ou numa folha de papel grande, você e um amigo devem escrever argumentos contra e a favor da questão, estando vocês em lados opostos. Sua tarefa é convencer o restante do grupo a adotar o seu ponto de vista. É preciso que todos votem no começo e no fim do processo para saber quantos mudaram de idéia.

Para as crianças

Na qualidade de pais e professores, nós queremos ensinar as crianças a se expressar e a compreender o que os outros dizem. As crianças naturalmente gostam de brincar com palavras: contam piadas, fazem rimas e criam palavras inexistentes. Para aumentar ainda mais esse entusiasmo inato, vocês podem:

- Aprender juntos uma língua estrangeira. Comprem um livro de frases e memorizem pelo menos doze palavras ou frases diferentes. Quando estiverem em casa, usem-nas em lugar das expressões equivalentes em sua língua.

- Você pode ainda estimular a criança a ler os mais diversos tipos de texto: histórias em quadrinhos, revistas, sinais de trânsito, menus de restaurante e até o guia de programação da televisão.

4

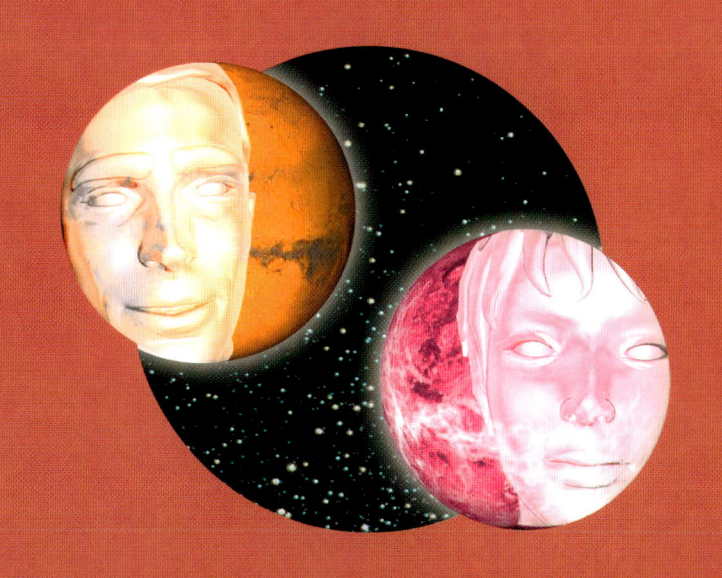

INTELIGÊNCIA EMOCIONAL

O que é a inteligência emocional?

Há quem pense que o termo "inteligência emocional" é uma expressão de efeito cunhada recentemente, mas a verdade é que já em 1983 Howard Gardner a havia identificado como um de seus sete tipos de inteligência. Em 1995, o livro *Inteligência Emocional*, de Daniel Goleman, causou sensação, tornou-se um campeão de vendas em vários países e apresentou o conceito da inteligência emocional ao público não-acadêmico, que logo se identificou profundamente com a idéia. De lá para cá, a inteligência emocional foi aceita pelo sistema educacional e pelo mundo dos negócios e das finanças como um dos fatores básicos do sucesso.

Os elementos fundamentais da inteligência emocional são os seguintes:

- A capacidade de perceber as emoções das outras pessoas, caracterizada pela predisposição para fazer ligações e estabelecer interações com os outros mediante a compreensão, a empatia e a capacidade de reagir de modo adequado aos sentimentos alheios. As pessoas dotadas desta capacidade são bons membros de equipes, companheiros em quem se pode confiar e amigos queridos.
- A capacidade de negociar soluções; de detectar, contornar e administrar possíveis discussões ou discordâncias, para o bem de todos os envolvidos. As pessoas dotadas desta capacidade são excelentes gerentes e negociadores e gozam de grande satisfação em seus relacionamentos pessoais.
- A capacidade de lidar com os relacionamentos; de captar e administrar as emoções alheias mediante a detecção do humor e de motivações que não aparecem na superfície. As pessoas dotadas desta capacidade são excelentes ouvintes e líderes.

Todos esses elementos inevitavelmente são postos em ação em todos os nossos relacionamentos emocionais, seja com o companheiro ou companheira, com os pais, com os irmãos, com os amigos ou com os colegas de trabalho.

O relacionamento a dois

O aumento vertiginoso do número de divórcios significa que a cada dia é menor o número de pessoas dispostas a levar em frente um casamento infeliz. No mundo de hoje, a ligação emocional entre os cônjuges precisa ser forte para que a união não só sobreviva como também dê frutos. No âmago de todo casamento bem-sucedido há uma comunicação emocional construtiva.

Os relacionamentos familiares

O relacionamento com os pais é o primeiro da nossa vida e segue, de início, as normas estabelecidas por eles. Quando ficamos mais velhos, esse vínculo pode ficar cada vez mais difícil de sustentar e administrar; por isso, é preciso que ambos os lados saibam ceder e se comunicar com sinceridade para que os relacionamentos familiares sejam saudáveis e agradáveis. Os pais precisam aceitar que seus filhos inevitavelmente vão crescer, e os filhos já crescidos precisam saber que os pais não são infalíveis.

Os relacionamentos sociais

Agora que nem sempre é possível contar com o apoio dos familiares, é essencial que as pessoas constituam bons relacionamentos sociais. Para muita gente, os amigos íntimos são fatores determinantes do bem-estar emocional. Porém, quando vemos as coisas de um ponto de vista mais amplo, a capacidade de se encaixar em diversos grupos sociais é igualmente importante. Conversar com desconhecidos num jantar social, fazer amizade com outros pais na festa de aniversário de uma criança, ficar junto com os colegas na confraternização anual da empresa — todas essas atividades exigem a capacidade de interpretar corretamente os sinais sociais e emocionais.

Os relacionamentos profissionais

Hoje em dia, as empresas reconhecem que os empregados são o seu ativo mais precioso e é nesse campo que procuram levar vantagem sobre as concorrentes; por isso, surgiram inúmeras pesquisas e trabalhos acadêmicos sobre a relação entre a inteligência emocional e o desempenho profissional. O conceito de inteligência emocional adquiriu tamanha importância no mundo dos negócios que os programas de avaliação e desenvolvimento dessa inteligência se tornaram uma prática empresarial comum. A capacidade de comandar e motivar os subordinados é um talento emocional, como é também a capacidade de negociar com os clientes e persuadi-los.

As pessoas dotadas de inteligência emocional são hábeis para trabalhar em equipe, sabem cooperar e conseguem resolver conflitos. São mais desembaraçadas, mais populares entre os colegas, mais hábeis em comunicar-se, mais compassivas e mais capazes de resolver problemas emocionais.

Por que a inteligência emocional é importante?

A inteligência emocional é um instrumento útil para qualquer tipo de interação social pública ou privada. Os benefícios da formação de relacionamentos pessoais fortes e sólidos são evidentes por si, e a maioria das pessoas admite que gostaria de obtê-los. A aplicação dessas capacidades no local de trabalho também pode ser fonte de satisfação: gerentes e colegas dotados de grande inteligência emocional são capazes de tirar o melhor de suas equipes, motivar as pessoas, fazer (e ouvir) comentários construtivos e garantir a lealdade do grupo. Esses funcionários são uma verdadeira preciosidade para qualquer empresa ou instituição, e beneficiam-na tanto financeiramente quanto do ponto de vista do desempenho profissional.

Dentre as pessoas que precisam ter uma excelente inteligência emocional, podemos citar os professores, os conselheiros em geral, os atores, os vendedores, os administradores e gerentes e os assistentes sociais.

Você se comunica com o seu companheiro(a)?

Nos últimos 10 anos, muito se tem escrito a respeito das diferenças de comunicação entre os homens e as mulheres; desde a mais tenra idade, por exemplo, as brincadeiras das meninas são cooperativas, ao passo que as dos meninos são competitivas. A sociedade aceita que as mulheres demonstrem suas emoções, ao passo que os homens aprendem a escondê-las. Quando estabelecem um relacionamento, o homem e a mulher têm capacidades diferentes de consciência emocional, expectativas diferentes quanto ao que esperar de uma satisfação emocional e maneiras diferentes de lidar com os sentimentos. Isso causa problemas, como, entre outros, a falta de comunicação (que nasce da incapacidade ou relutância de se dizer o que se pensa ou se sente), a acumulação de sentimentos negativos (de etapas anteriores da vida) e um pessimismo constante (nascido das experiências negativas do passado). A comunicação eficaz e a capacidade de ouvir o outro são fundamentais para um relacionamento saudável.

PROVE A SUA CAPACIDADE DE COMUNICAÇÃO

Você e seu companheiro(a) devem responder "sim" ou "não" às respectivas perguntas. Depois, contem separadamente os "sim" e os "não" de cada um.

Para o casal

1. Seu companheiro falaria sobre os sentimentos dele com tanta liberdade quanto falaria sobre o carro novo?
2. Seu companheiro ouve quando você fala?
3. Se você se chateia, pode dizer isso ao seu companheiro?
4. Você critica o seu companheiro e/ou o comportamento dele quando vocês discutem?
5. Quando você fala, o seu companheiro lhe faz perguntas para aprofundar-se no assunto?
6. Seu companheiro lhe pergunta o que você quer durante o ato sexual, ou lhe diz o que ele quer?
7. Seu companheiro inicia conversas sobre dinheiro e sobre as finanças conjuntas de vocês?
8. Seu companheiro conversa com os amigos ou os familiares ao telefone?
9. Seu companheiro lhe faz elogios?
10. Seu companheiro diz que ama você pelo menos uma vez por semana?

Para você

1. Você conversa com o seu companheiro sobre as pequenas coisas que aborrecem você?
2. Quando seu companheiro fala, você ouve?

RELACIONAMENTO A DOIS 83

⭐ Para melhorar

Aprenda a conversar sobre os acontecimentos do dia com seu companheiro usando a regra dos três minutos: primeiro ele fala por três minutos e você só ouve; depois, é você quem fala por três minutos enquanto ele ouve. Se não puder interromper e não se deixar distrair pelo que *você mesma* quer dizer em seguida, você ouvirá muito melhor o que ele tem a lhe dizer. Os bons ouvintes fazem perguntas que exigem respostas complexas, concentram-se no que a outra pessoa diz, não interrompem e não tiram conclusões apressadas a respeito de sentimentos e intenções que o outro não expressou.

3. Você sabe quando o seu companheiro está aborrecido?
4. Você critica o seu companheiro e/ou o comportamento dele quando vocês discutem?
5. Quando seu companheiro fala, você lhe faz perguntas para aprofundar-se no assunto?
6. Você diz a ele o que quer na cama? Ele lhe diz o que quer?
7. Você inicia conversas sobre dinheiro e sobre as finanças conjuntas de vocês?
8. Acontece de você morder a língua quando sente que está prestes a provocar uma briga?
9. Você elogia seu companheiro?
10. Você lhe diz que o ama pelo menos uma vez por semana?

RESPOSTAS E INTERPRETAÇÕES

Se um de vocês ou os dois deram 3 respostas "sim" ou menos — vocês têm uma capacidade média de comunicação e provavelmente costumam ter brigas ferozes, ou deixam tudo passar em branco para evitar conflitos. Se vocês dois trabalharem esse aspecto do seu relacionamento, vão se dar melhor um com o outro e também com as outras pessoas.

Se um de vocês ou os dois deram de 3 a 6 respostas "sim" — vocês são dotados de uma boa capacidade de comunicação e provavelmente conversam tranqüilamente sobre a maioria dos assuntos, muito embora talvez tenham dificuldade para falar de uma ou duas questões específicas. Procurem falar desses assuntos quando estiverem ambos calmos.

Se um de vocês ou os dois deram 7 ou mais respostas "sim" — vocês são dotados de uma excelente capacidade de comunicação e é muito provável que o relacionamento de vocês seja íntimo e sólido. Continuem assim.

Se vocês dois estão em faixas diferentes de pontuação — provavelmente, vocês continuam juntos porque a falta de comunicação emocional de um dos lados é compensada pelo outro.

De que modo vocês entram em conflito?

HÁ UMA GRANDE DIFERENÇA entre um conflito saudável e as brigas que podem chegar, em última análise, a destruir um relacionamento. Essas altercações são percebidas como críticas e ataques pessoais. No decorrer do tempo, podem determinar a falta de reciprocidade no relacionamento. As brigas que começam com as expressões "Você nunca..." e "Você sempre..." são exemplos clássicos desse fato. Às vezes você sente que está trabalhando demais, mas grita ao seu companheiro: "Você nunca arruma nada!" Quando lá no fundo não sente que o outro esteja valorizando você, grita: "Nós sempre temos de ir ao restaurante que você quer!" Os relacionamentos mais sólidos são capazes de se abrir a discussões que vão além das acusações iniciais, mais carregadas de emoção. Cada casal tem o seu próprio jeito de entrar em conflito. Se compreenderem o modo como discutem, você e seu companheiro poderão criar entre si um vínculo mais forte e mais íntimo.

COMO VOCÊS ENTRAM EM CONFLITO?

Escolha as respostas que mais se coadunam com a sua pessoa (ou com a de seu companheiro, quando disso se tratar).

1. Como costumam terminar as brigas entre você e seu companheiro(a)?
a) Um de nós dois muda de assunto e voltamos a ser amigos.
b) Um de nós dois sai da sala, mas fazemos as pazes naquele mesmo dia.
c) Chegamos a um acordo.

2. Do ponto de vista de vocês, qual é o objetivo da discussão?
a) Tentamos nunca discutir.
b) Discutimos para desabafar.
c) Discutimos para resolver as diferenças entre nós antes que elas se tornem grandes demais.

3. Se seu companheiro(a) dissesse "Vamos concordar em discordar", qual seria a sua reação?
a) Você aceitaria essa proposta de paz sem pensar duas vezes.
b) Você não veria essa afirmação como um bom motivo para parar de discutir.
c) Você preferiria chegar a uma conclusão com a qual ambos concordassem.

4. Quando você e seu companheiro(a) discutem, o que ele(a) tende a fazer?
a) Fechar-se num silêncio de pedra.
b) Levantar a voz, andar pela sala ou gesticular desmedidamente.

RELACIONAMENTO A DOIS

⭐ Para melhorar

Pense nas últimas três vezes em que vocês discutiram. Tome nota do que desencadeou as discussões, do tema das discussões e de como elas terminaram. Você ainda está incomodado com o motivo da briga? É capaz de identificar um padrão que se repete?

c) Continuar falando até sentir que você compreendeu o ponto de vista dele.

5. Quando vocês estão brigando, o que tendem a fazer?
a) Tentam pôr fim à discussão, uma vez que não gostam de excessivas manifestações de emoção.
b) Lembram-se, a meio caminho, de uma série de queixas que nada têm a ver com o motivo da discussão, e falam sobre elas também.
c) Tentam fazer com que o outro concorde com o seu ponto de vista.

RESPOSTAS E INTERPRETAÇÕES

Mais respostas a — seu estilo de conflito é a fuga.* Você e seu parceiro evitam as brigas e discussões a todo custo (o que vocês vêem como um sinal de compatibilidade) e evitam que se criem maus sentimentos entre vocês. Fazem perguntas que não podem ser respondidas com um simples "sim" ou "não" para obter informações um do outro. Este estilo pode corresponder às personalidades de vocês, mas também pode ser um sinal de baixa auto-estima ou de medo de se separar.

Mais respostas b — seu estilo de conflito é volátil.* As brigas e discussões de vocês são apaixonadas e intensas. Vocês as encaram como válvulas de escape para a tensão emocional e provavelmente adoram a vitalidade que as brigas trazem ao relacionamento; mas procurem ver se toda essa dramaticidade não existe para compensar uma falta de companheirismo ou de comunhão de interesses. Para baixar o tom do confronto, procurem parafrasear suas acusações mútuas usando a fórmula "Quando você... eu me sinto..."

Mais respostas c — seu estilo de conflito é a resolução.* As brigas e discussões entre vocês não são nem fogosas nem emocionais e vocês só discutem de vez em quando, procurando falar sobre as diferenças a fim de conservar a intimidade. Provavelmente fazem um ao outro perguntas que só podem ser respondidas com um "sim" ou um "não" para chegar logo ao cerne do assunto. Não se esqueçam de reservar um lugar para a paixão no relacionamento de vocês.

* John Gottman, professor de psicologia da Universidade de Washington, identificou três estilos de conflito entre casais — a fuga, o estilo volátil e a resolução.

Quais os pontos fracos do seu relacionamento?

MUITAS VEZES, é difícil identificar os fatores que, a longo prazo, podem enfraquecer e danificar um relacionamento. Se vários relacionamentos seus fracassaram, é certo que a sua incapacidade de julgar o caráter dos parceiros não foi o único motivo. E se você está de novo passando por uma fase ruim no seu relacionamento atual, pode ser que esteja retomando antigos hábitos autodestrutivos. É você quem tende a pôr fim aos relacionamentos? Ou tende a ser abandonado? Sente-se sistematicamente atraído por pessoas muito mais novas ou muito mais velhas? Sente-se atraído por pessoas "perigosas" ou imprevisíveis? Os perigos que ameaçam os relacionamentos são múltiplos e diversificados. O primeiro passo para que você tenha uma vida amorosa satisfatória, segura e feliz é identificar a principal ameaça ao seu relacionamento.

PONHA-SE À PROVA

Coloque as afirmações seguintes em ordem, começando pelas que mais se aplicam ao seu relacionamento atual e aos anteriores.

1. Sinto-me ansioso(a) porque acho que meu (minha) companheiro(a) é melhor do que eu ou vai me abandonar.

2. Durante as brigas, tenho a tendência de fazer acusações usando as expressões "Você nunca..." e "Você sempre..."

3. Sinto que nosso relacionamento é tranqüilo, mas não é empolgante.

4. É mais fácil para mim pensar em cinco características do(a) meu (minha) companheiro(a) que me irritam do que em cinco características que me agradam.

5. Me sinto descontente com a nossa vida sexual, mas não tenho coragem de conversar sobre o assunto.

6. Para mim, nosso relacionamento é algo que simplesmente "vou levando".

RELACIONAMENTO A DOIS   87

⭐ Para melhorar

1. Peça a um grande amigo ou amiga que escolha três adjetivos para descrever o tipo de pessoa com que você costuma ter um relacionamento amoroso. Essas informações imparciais, dadas por alguém em quem você confia, podem ser muito úteis.

2. Faça uma lista de todas as qualidades que um(a) companheiro(a) perfeito(a) deveria ter. Faça uma outra lista, do modo pelo qual você mesmo(a) se comportaria num relacionamento perfeito. Use essas duas listas como modelos da sua felicidade futura.

RESPOSTAS E INTERPRETAÇÕES

Se as respostas 1 e 5 estão entre as três primeiras — cuidado com o excessivo apego à segurança. Em geral, as pessoas que pedem que o companheiro lhes tranqüilize constantemente têm baixa auto-estima e estão sempre em busca de sinais exteriores do seu valor, o que esgota o parceiro. Se você acredita que seu companheiro(a) é melhor do que você, ele pode começar a acreditar nisso e pode lhe abandonar. Aumente a auto-estima dentro de si e recorra a estímulos e pontos de apoio fora do relacionamento.

Se as respostas 2 e 4 estão entre as três primeiras — tome cuidado com a sua constante tendência crítica. As pessoas que só vêem defeitos em seus companheiros(as) não priorizam suas queixas, o que faz com que os companheiros não identifiquem os assuntos realmente importantes. Se você sempre critica, escolha cuidadosamente os motivos pelos quais vai discutir. Certas pessoas, especialmente os homens, não gostam de brigas que chegam aos gritos. Resistem a elas e tendem a retirar-se do conflito através do silêncio e de uma expressão fechada. Isso parece um sinal de desinteresse, mas é na verdade um mecanismo de fechamento para evitar mais mágoas.

Se as respostas 3 e 6 estão entre as duas primeiras — cuidado com a desilusão. As pessoas desencantadas com os seus relacionamentos perdem a vontade de trabalhar para fazer as coisas melhorar, de modo que o relacionamento pode entrar numa espiral descendente que levará ao colapso. Se você está decepcionado com a pessoa amada, abra um espaço para o carinho e o afeto. Procure se lembrar do que você amava nela quando a conheceu.

Seus pais são seus amigos ou seus inimigos?

Nosso relacionamento com os pais começa antes do nascimento, quando se forma pela primeira vez um afeto ou vínculo emocional. Esse vínculo domina a primeira infância mas, à medida que vamos crescendo, os relacionamentos com os irmãos, os amigos e os namorados e cônjuges se tornam aos poucos as nossas principais fontes de segurança e conforto, muito embora nada nem ninguém possa substituir os pais. Os relacionamentos familiares saudáveis e íntimos caracterizam-se por um forte afeto.

O relacionamento entre os pais e o filho adulto é como uma rua de mão dupla. O filho tem de estar disposto a aceitar o fato de que seus pais são indivíduos dotados de qualidades positivas, mas que não são perfeitos. Os pais, por sua vez, precisam aceitar o filho como um adulto, livre para tomar as próprias decisões, muitas vezes de acordo com pontos de vista e prioridades diferentes. Aceite seus pais como seres humanos que por acaso lhe trouxeram ao mundo.

PONHA À PROVA O RELACIONAMENTO DE VOCÊS

Marque as QUATRO afirmações que mais correspondem ao seu relacionamento com os seus pais.

☐ 1. Meus pais me amam e se orgulham de mim.

☐ 2. Não tenho quase nada em comum com os meus pais.

☐ 3. Não estou disposto a revelar aos meus pais tudo o que eles querem saber sobre a minha vida.

☐ 4. Muitas vezes peço conselho e ajuda aos meus pais.

☐ 5. Meus pais me criticam e me desmoralizam.

☐ 6. Acho que, para proteger os meus pais, não posso deixar que eles conheçam certos aspectos da minha vida.

☐ 7. Meus pais são leais e me dão apoio.

☐ 8. Gostaria que os meus pais se interessassem mais pela minha vida.

☐ 9. Meus pais ainda me vêem e me tratam como criança.

☐ 10. Gosto de ficar junto dos meus pais.

RELACIONAMENTOS FAMILIARES 89

⭐ Para melhorar

1. Faça uma lista das características que você gostaria de mudar no seu relacionamento com os seus pais. Elimine as características que não podem ser mudadas por serem fatores fixos do seu temperamento ou personalidade, ou dos seus pais. Formule um plano para efetuar as mudanças restantes.

2. Convide seus pais para almoçar ou jantar. Crie um ambiente de paz, com música e aromas suaves, e se esforce para lhes oferecer uma excelente comida.

3. Juntos, vejam fotografias antigas. Se elas lhe lembrarem épocas boas, retenha esses sentimentos; se lhe lembrarem épocas ruins, aprenda a deixar o passado para trás.

RESPOSTAS E INTERPRETAÇÕES

Conte os pontos das quatro afirmações que mais se aplicam ao seu relacionamento com os seus pais.

1. 10 pontos; 2. 2 pontos; 3. 5 pontos;
4. 10 pontos; 5. 2 pontos; 6. 5 pontos;
7. 10 pontos; 8. 2 pontos; 9. 5 pontos;
10. 10 pontos.

Menos de 20 pontos — você não é muito íntimo de seus pais e tende a buscar conforto e segurança em outras pessoas. Pode ser que você ainda guarde mágoas da infância ou esteja passando por um período de conflito; por isso, busque uma nova direção para o relacionamento de vocês: pense nas pessoas que vocês são agora, não em quem eram há 10 ou 20 anos. Tente encontrar algum interesse comum ou algo que todos gostem de fazer.

De 20 a 30 pontos — você é razoavelmente ligado aos seus pais, mas esse vínculo é complementado pela intimidade emocional de outros relacionamentos. As famílias, por exemplo, têm seus códigos implícitos de conduta. Uma das regras mais comuns é que a expressão da raiva é proibida; mas isso pode ser prejudicial à família. O mais provável é que você ainda esteja seguindo essas regras. Por isso, procure identificá-las a fim de mudar o modo de sentir e expressar suas emoções.

Mais de 30 pontos — você tem uma relação segura com os seus pais e se sente amado e valorizado. Foi esse relacionamento que lhe serviu de modelo para a constituição de todos os seus demais relacionamentos íntimos. Procure preservar a qualidade desse vínculo, pois os netos, as doenças e o envelhecimento podem minar até mesmo os melhores relacionamentos familiares.

Você se dá bem com os seus irmãos?

Os relacionamentos entre irmãos se formam na infância, no momento em que a nossa percepção emocional passa a captar algo mais do que os nossos pais. A natureza inicial desses relacionamentos passa para a vida adulta: os irmãos que tinham intimidade entre si, brincavam bem quando juntos e gostavam da companhia uns dos outros geralmente são capazes de dar apoio emocional uns aos outros quando adultos. Os que competiam e brigavam entre si tendem a perpetuar esse padrão de comportamento.

O relacionamento entre irmãos, porém, é dinâmico, e quaisquer mudanças de ordem financeira ou social podem causar tensão entre os irmãos: quando um irmão mais novo fica mais rico ou mais bem-sucedido, por exemplo, isso pode abalar seu relacionamento com o irmão mais velho. A resolução amigável desse abalo depende da maturidade e da adaptabilidade de ambos os irmãos. Os irmãos que mantêm contato entre si proporcionam uns para os outros uma rede de apoio confiável, duradoura e preciosa.

PROVE A FORÇA DO SEU RELACIONAMENTO COM OS SEUS IRMÃOS

Qual das três opções de cada pergunta abaixo melhor descreve a você e aos seus irmãos ou irmãs? Se você tem mais de um, o melhor talvez seja responder um questionário separado para cada irmão.

1. Sua mãe quebra a perna e é internada no hospital. Vocês:
a) Se encontram por acaso na recepção do hospital.
b) Combinam de se revezar diariamente nas visitas à sua mãe.
c) Vão ver a mãe juntos no dia seguinte e depois saem para almoçar a fim de fazer um programa planejado de visitas.

2. Você vê seus irmãos como:
a) Pessoas que você conhecia na infância.
b) Membros de sua família.
c) Amigos.

3. Seu irmão está com problemas financeiros. Você:
a) Se mantém alheio ao assunto, que, afinal, não lhe diz respeito.
b) Conversa com outros familiares sobre a melhor maneira de lhe dar ajuda.
c) Lhe empresta todo o dinheiro de que ele precisa.

RELACIONAMENTOS FAMILIARES

⭐ Para melhorar

1. Ligue para seu(s) irmão(s) e combine de encontrá-lo(s) sem a presença dos pais, dos cônjuges e dos filhos. Redescubram-se como pessoas adultas.

2. Desenhe um mapa de seus relacionamentos com sua família imediata. Ponha-se no centro e use cores diferentes (vermelho para conflito, verde para intimidade, azul para indiferença) para exprimir a natureza do seu relacionamento com cada um dos membros da família. Avalie a qualidade desses vínculos. Você reconhece alguma tendência? Sua família é forte ou está sob tensão? Seus relacionamentos são exemplos típicos dos relacionamentos dos outros membros da sua unidade familiar?

4. Vocês competem pela atenção dos seus pais?
a) Sim.
b) Às vezes.
c) Nunca.

5. Se a distância não fosse um problema, vocês se veriam:
a) Uma vez por ano.
b) Uma vez por mês.
c) Uma vez por semana.

6. Vocês mantêm contato porque:
a) Seus pais marcam reuniões de família.
b) As ligações de sangue são importantes.
c) Porque querem.

RESPOSTAS E INTERPRETAÇÕES

Mais respostas a — você e seus irmãos são simples conhecidos. Quase nunca entram em contato e sentem-se mais ou menos indiferentes uns em relação aos outros. Isso resulta de um desentendimento passado (caso em que devem se esforçar para se reconciliar) ou de uma gradual separação (caso em que devem se esforçar para se conhecer de novo, desta vez como adultos)? Os relacionamentos entre irmãos se tornam mais importantes à medida que os pais já não são capazes de proporcionar a "liga" emocional que une os membros da família.

Mais respostas b — você e seus irmãos têm um relacionamento de caráter familiar. Vocês mantêm contato, organizam e freqüentam as reuniões familiares e dão apoio uns aos outros em caso de necessidade. Pode ser, porém, que você esteja se esforçando demais para manter unidas pessoas muito diferentes, uma vez que sua tradição familiar dá grande importância à unidade da família.

Mais respostas c — você e seus irmãos têm um relacionamento de amizade. Davam-se bem na infância e continuam tendo carinho uns pelos outros. São felizes por encontrar um no outro esse tipo de apoio, mas lembre-se que alguns relacionamentos entre irmãos excluem a possibilidade de outros relacionamentos. Faça um esforço para se dar bem também com seu cônjuge e seus amigos.

Você se relaciona bem com os seus filhos?

O PAPEL MAIS IMPORTANTE DOS PAIS é o de criar seus filhos. Para dar independência física aos nossos filhos, nós os ensinamos a ler, escrever e se vestir. Muitas vezes, porém, é difícil encontrar a melhor maneira de ensinar uma criança a ter consciência emocional.

As crianças são excelentes imitadoras e aprendem pelo exemplo. Por isso, o melhor meio para ensinar-lhes a inteligência emocional consiste em dar demonstrações dessa inteligência nos seus relacionamentos com elas e com outras pessoas. Os sentimentos de frustração, confusão e ansiedade são naturais — se os pais parecem nunca ter tido um dia ruim, as crianças podem aprender a reprimir todas as emoções negativas, o que, além de não ser natural, não é saudável. Como adulto, você é capaz de separar seus sentimentos de suas ações — uma distinção crítica para o futuro bem-estar emocional —, e as crianças dotadas de um alto grau de inteligência emocional são mais queridas, mais seguras, mais felizes e mais bem preparadas para enfrentar o mundo.

PROVE A SUA CAPACIDADE

Imagine esta situação: você vai buscar seu filho na escola e ele está evidentemente deprimido. Depois de algumas palavras de estímulo, ele dá o nome de um colega de classe que o tem maltratado durante o recreio. Como você reagiria se soubesse que:

1. As duas crianças são amigas.

2. A outra criança tem a reputação de maltratar os menores.

3. Seu filho às vezes é inconveniente.

Das opções apresentadas na página ao lado, escolha TRÊS respostas que mais se coadunam com a sua maneira de lidar com a situação.

⭐ Para melhorar

1. Você e o seu filho podem se sintonizar emocionalmente. Usem a analogia do sinal de trânsito: "Pare — pense — aja." Quando a situação começar a sair do controle, parem e acalmem-se (sinal vermelho); pensem nos seus sentimentos e em qual deve ser o curso de ação de cada um (sinal amarelo); depois ajam de acordo com um plano (sinal verde). Pratiquem juntos essa técnica.

2. Todos os dias, pare um pouco para conversar com seu filho sobre como foram as coisas na escola.

A. Você tentaria consolá-lo, comprando-lhe um pacote de balas no caminho de casa.

B. Diria que ele tem de aprender a se defender e a revidar quando alguém bate nele.

C. Conversaria com ele sobre os antecedentes da briga e tentaria descobrir a causa.

D. Diria ao seu filho que ele deve ter feito alguma coisa para provocar a outra criança.

E. Conversaria com o seu filho sobre os sentimentos dele.

F. Mudaria de assunto — afinal, você não quer fazer uma tempestade num copo d'água.

G. Mandaria seu filho procurar uma professora na próxima vez em que isso acontecesse.

H. Conversaria com o seu filho sobre os possíveis sentimentos da outra criança.

RESPOSTAS E INTERPRETAÇÕES

Evidentemente, as respostas escolhidas variam de acordo com o temperamento do seu filho e o seu jeito de criá-lo.

Se você NÃO escolheu as respostas c), e), g) ou h) — é dotado de uma inteligência emocional média e provavelmente teria prestado mais atenção aos seus próprios sentimentos do que aos da criança. Os aborrecimentos emocionais são importantes oportunidades que nos são dadas para conversar com os filhos sobre os sentimentos deles.

Se você escolheu alguma das respostas c), e), g) ou h) — você é dotado de uma boa inteligência emocional e provavelmente teria modelado seus sentimentos de maneira inteligente, ou teria pensado nos sentimentos da criança, mas talvez não tivesse feito a correspondência entre os dois. Seja um mediador, não um árbitro: se você der um veredicto sobre a questão, seus filhos não se sentirão responsáveis pelo que vier a acontecer e não desenvolverão as capacidades necessárias para resolver sozinhos um conflito desse tipo.

Se você escolheu pelo menos três das respostas c), e), g) e h) — você é dotado de uma excelente inteligência emocional, tanto no lidar com os seus filhos quanto em lhes mostrar como administrar suas próprias emoções. Você demonstra interesse e simpatia pela criança quando procura saber um pouco mais sobre a situação através dos sentimentos dela, que considera importantes. Tudo o que você fizer daí em diante será considerado mais justo pela criança, pois você se preocupou em saber o que está acontecendo. Reconhecendo as emoções da criança, ofereceu uma solução adequada ao problema.

Você é um bom amigo?

O SUCESSO NOS RELACIONAMENTOS SOCIAIS tem três aspectos principais. O primeiro é a capacidade de administrar as próprias emoções e expressá-las da maneira correta. O segundo é a capacidade de sentir o que os outros estão sentindo, de colocar-se no lugar deles e estabelecer um entendimento mútuo. A terceira capacidade — lidar com as emoções alheias — está em saber interpretar corretamente as emoções das outras pessoas em relação a você e em modificá-las quando necessário; é a capacidade mais difícil de adquirir. Se você desenvolver essas três capacidades, saberá quando emitir a própria opinião e quando não o fazer, como mudar para melhor os sentimentos da outra pessoa e como prever possíveis problemas nos seus relacionamentos de modo a poder resolvê-los da melhor maneira possível.

PONHA-SE À PROVA

Escolha as respostas que melhor descrevem o seu modo de ser.

1. Um amigo íntimo entra num novo emprego e passa a não responder aos seus telefonemas. O que você faria?
a) Sentir-se-ia profundamente ofendido.
b) Ficaria a pensar no que aconteceu com ele.
c) Em vez de telefonar, mandar-lhe-ia um e-mail.

2. A(o) companheira(o) do(a) seu(sua) amigo(a) lhe dá sinais de interesse. O que você faria?
a) Corresponderia ao flerte, só por diversão.
b) Rejeitaria terminantemente as propostas.
c) Diria discretamente que não está interessado(a).

3. Você está no meio de um jantar com uma amiga sua no apartamento dela quando ela recebe um telefonema de outra amiga. O telefonema começa a ficar comprido, pois a outra está no meio de uma crise de relacionamento. O que você faria?
a) Sentir-se-ia ofendido e iria embora.
b) Terminaria de comer e iria ler uma revista até que a situação se resolvesse.
c) Poria ambos os pratos na geladeira para poder continuar comendo juntos depois de terminada a crise.

4. Seu amigo ganha bem menos do que você. O que você faria se estivessem planejando sair juntos à noite?
a) Você se ofereceria para pagar tudo.
b) Você o convidaria para jantar em sua casa.
c) Procuraria um programa compatível com o orçamento dele.

5. Você empresta a uma amiga uma peça de roupa e a recebe de volta danificada. O que você faria?
a) Recusaria suas desculpas.
b) Esperaria uma explicação antes de perder a paciência.
c) Aceitaria suas desculpas.

RELACIONAMENTOS SOCIAIS 95

⭐ Para melhorar

1. Passe um dia inteiro escrevendo todos os diálogos interiores que lhe vêm à cabeça. Reformule cada frase de maneira positiva, ponha e cheque seus pensamentos negativos e reforce os bons sentimentos.

2. Reflita sobre a dinâmica de grupo do seu ambiente de trabalho. Atribua uma pontuação a cada membro da equipe para os quesitos popularidade, controle emocional e intimidade emocional.

RESPOSTAS E INTERPRETAÇÕES

Mais respostas a — você pensa nas suas emoções, mas tem dificuldade para administrá-las. Procure "entrar em contato" com seus sentimentos e pensar em qual é a melhor maneira de agir. Quem controla as próprias emoções controla a própria vida.

Mais respostas b — você mantém contato com as suas emoções e tem amizades fortes, estáveis e duradouras. Geralmente é capaz de perceber as emoções das outras pessoas, mas às vezes não presta atenção nos sinais sociais mais sutis.

Mais respostas c — você tem relacionamentos bem-sucedidos, é um amigo querido e, no geral, é seguro de si. Sempre insere o seu ponto de vista num contexto maior e colhe os frutos dessa atitude.

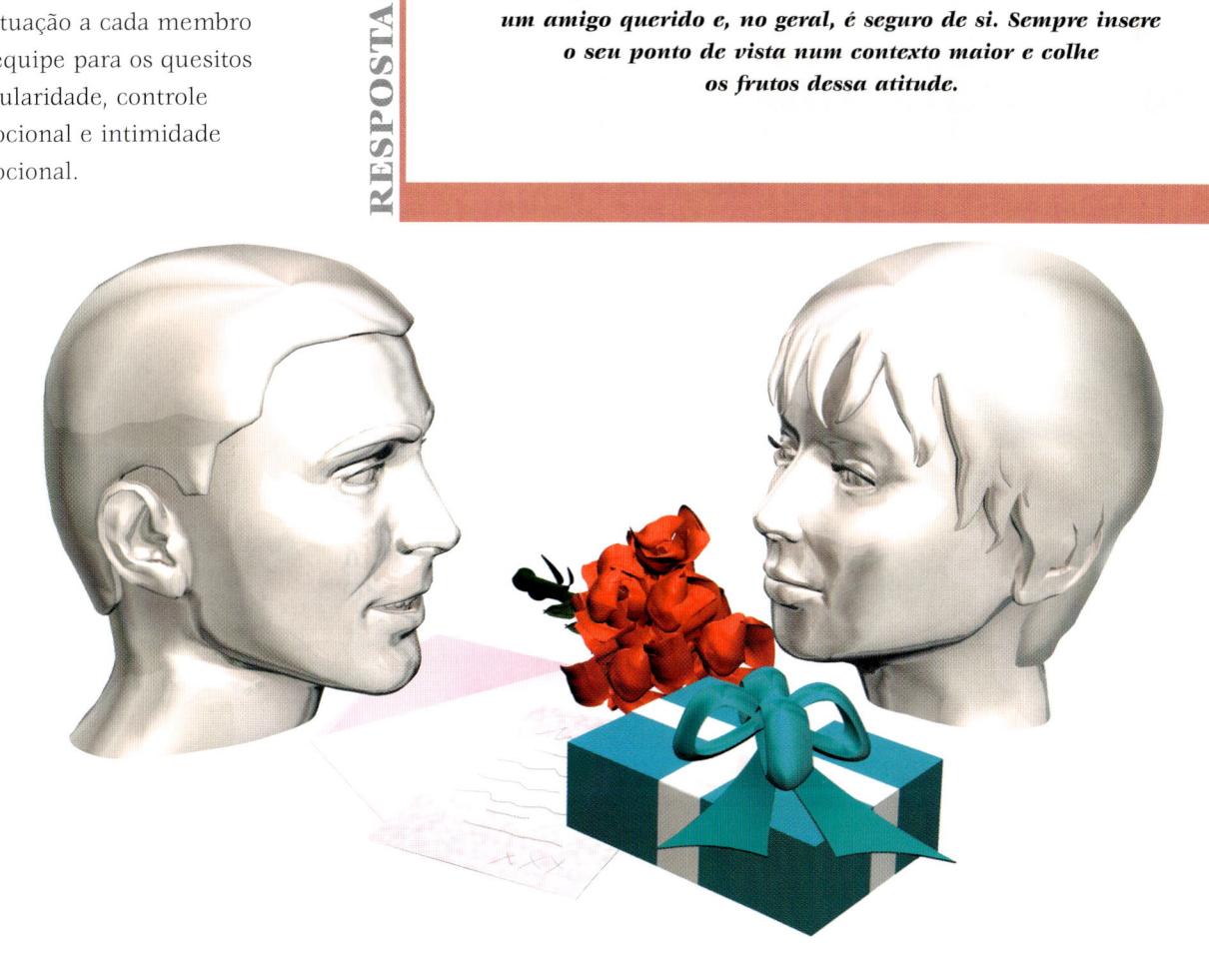

As pessoas influenciam seu estado de espírito?

Já aconteceu de você se sentir animado depois de ouvir uma palestra de motivação, ou de chorar depois de assistir a um filme triste? Nesse caso, você experimentou o que se chama de "transferência de emoções": uma imitação inconsciente das emoções alheias, imitação essa que cria em você o mesmo estado de espírito. Esse efeito também se produz sobre a linguagem corporal — se você está em sintonia com alguém, tende a imitar as posturas e gestos dessa pessoa. Essa mútua coordenação de emoções e linguagem corporal é chamada de sintonia emocional entre identidades. Acontece subconscientemente, mas as pessoas dotadas de inteligência emocional conseguem aprender a manipulá-la conscientemente. Se você for capaz de influenciar as emoções da outra pessoa, será capaz de estabelecer um vínculo com ela e será visto como uma pessoa carismática e atraente. Os grandes líderes, tanto os famosos quanto os infames — como John F. Kennedy, Winston Churchill e Adolf Hitler —, fizeram dessa sintonia emocional uma arte refinadíssima e, em alguns casos, altamente destrutiva.

PONHA-SE À PROVA

Teste número 1
Você vai precisar de lápis e papel.

Antes de mais nada, faça uma lista das ocasiões em que se viu sintonizado com o estado de espírito de outra pessoa: um amigo que lhe fez rir quando você estava deprimido ou um filme que o comoveu, por exemplo. Depois, faça uma lista das ocasiões em que você conseguiu fazer com que os outros se sintonizassem com as suas emoções: a apresentação de um projeto que prendeu a atenção da platéia, por exemplo, ou a vez em que você encorajou um colega que estava com problemas pessoais. O que lhe é mais fácil? Transmitir seu próprio estado de espírito ou sintonizar-se com o dos outros?

Teste número 2
Você vai precisar de um parceiro.

Peça ao seu parceiro que imagine que acaba de voltar do trabalho, onde teve um dia excelente sob todos os aspectos: ganhou um inesperado aumento de salário, foi publicamente elogiado na reunião do primeiro escalão e recebeu o sinal verde para tocar um projeto do qual gosta especialmente. Imagine agora que você teve um dia péssimo no trabalho: seu assistente pediu demissão, seu chefe falou mal de você numa reunião e outra pessoa conseguiu a promoção que você queria. Sente-se frente a frente e procurem transmitir um ao outro cada qual o seu estado de espírito, tanto por meio da comunicação verbal quanto da não-verbal. Vocês passaram a imitar os gestos um do outro? Sentiram alguma sintonia emocional? Qual era o estado de espírito predominante ao fim da conversa?

RELACIONAMENTOS SOCIAIS

⭐ Para melhorar

1. Estude a linguagem corporal de seus amigos e colegas quando estiver falando com eles. Veja se você é capaz de influenciá-los: cruze os braços ou apóie os cotovelos na mesa para ver se eles imitam inadvertidamente suas ações.

2. Assista aos noticiários e programas de entrevistas na TV. Veja como os políticos e líderes empresariais se comportam na frente de uma platéia. Quais os expedientes de que eles se valem para chamar a atenção? Como os diferentes estilos incorporam a presença da platéia?

RESPOSTAS E INTERPRETAÇÕES

Se você é capaz de se sintonizar com as emoções das outras pessoas mas não se deixa influenciar por elas, você é dotado de uma capacidade média de sintonia emocional. Aprenda a sentir profundamente as emoções das outras pessoas: relacione as experiências delas com acontecimentos semelhantes da sua vida, que provocaram emoções semelhantes no passado.

Se você é capaz de se sintonizar com as emoções das outras pessoas e se deixa influenciar por elas, você é dotado de uma boa capacidade de sintonia emocional. Para influenciar os sentimentos alheios, canalize suas emoções e seja espontâneo e emotivo ao se expressar. É difícil estimular uma platéia quando você não fala com o coração.

Se você é capaz de se sintonizar com as emoções das outras pessoas, é influenciado por elas e é capaz também de influenciá-las, você é dotado de uma excelente capacidade de sintonia emocional. Essa capacidade é essencial para os políticos, líderes empresariais, atores e oradores.

Você é uma pessoa sociável?

Um dos aspectos mais complexos da inteligência social, essencial para a formação de novas amizades, é a capacidade de se integrar em diversos contextos. Ir à festa da empresa em que trabalha o seu marido ou a sua mulher, tornar-se membro de um clube ou de uma academia de ginástica, entrar num emprego novo, conversar com pessoas estranhas numa festa — para tudo isso é preciso se misturar a um grupo de pessoas que estão conversando, chegando às vezes como um estranho. Esse tipo de competência social envolve a percepção e a interpretação de sinais emocionais e interpessoais extraordinariamente sutis, os quais devem em seguida moldar o seu próprio comportamento.

Ninguém sabe ao certo o que leva uma pessoa a ser popular, mas ninguém tem dúvida acerca do que não a leva a ser. Ser rejeitado ou desprezado por um grupo é extremamente embaraçoso, por isso estamos sempre atentos para não cometer nenhum erro. Existem dois comportamentos que certamente provocam rejeição: tentar assumir a liderança cedo demais e não levar em conta o tipo de interação estabelecido no grupo. O mais interessante é que os animais seguem exatamente as mesmas regras: o líder de um bando de leões mostrará as garras para qualquer macho que tentar assumir a liderança.

VOCÊ SABE FAZER NOVAS AMIZADES?

Imagine que você quer participar de uma conversa numa festa ou ocasião social. Não conhece nenhuma das pessoas que estão de pé, numa roda, conversando. Faça um plano para se integrar ao grupo: ponha as ações seguintes em ordem, começando por aquela que você faria primeiro. Ponha as três primeiras ações no grupo a, as três seguintes no grupo b e as últimas quatro no grupo c.

1. Acenar com a cabeça e sorrir para manifestar aceitação de forma não-verbal.
2. Esperar até que a sua aceitação seja confirmada e/ou a sua presença seja reconhecida.
3. Mudar de assunto.
4. Discordar de um ou mais membros do grupo.
5. Dizer simplesmente "sim" ou "ah!" para demonstrar oralmente a sua aceitação do que está sendo dito.
6. Observar o grupo.
7. Responder prontamente quando lhe fizerem uma pergunta direta.
8. Iniciar uma linha de conversa dentro do assunto que está sendo discutido.
9. Observar o tema da conversa e o tom da discussão.
10. Dar a sua opinião.

RELACIONAMENTOS SOCIAIS 99

⭐ Para melhorar

1. Com um caderno e uma caneta na mão, freqüente lugares públicos como restaurantes, bares e cafés. Examine as dinâmicas de grupo das pessoas presentes; tome nota de quem fala e de quem ouve. Registre por escrito os sinais de linguagem corporal e outros sinais não-verbais.

2. Se você tende a comer sozinho, faça questão de ir almoçar junto com os seus colegas. Por outro lado, se você sempre almoça com as mesmas pessoas, aumente a sua capacidade social: sente-se numa mesa diferente e convide outras pessoas para comer com você.

RESPOSTAS E INTERPRETAÇÕES

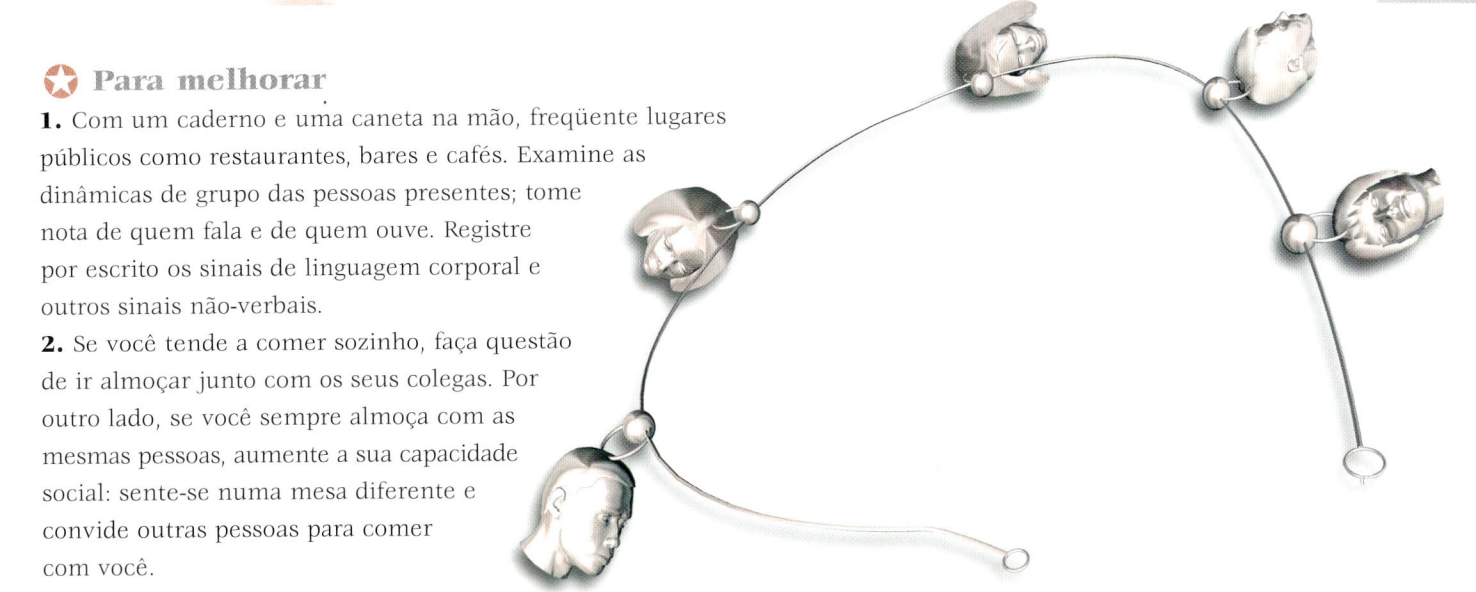

Embora a atitude a tomar dependa do tipo de situação, das pessoas presentes e da sua própria autoconfiança, a ordem das prioridades deve ser a seguinte:

Primeiro, observe o que está acontecendo e repare na dinâmica do grupo (6), registrando na mente o assunto em debate e o tom geral da conversa (9). Manifeste sinais não-verbais de aceitação, acenando com a cabeça e sorrindo (1). Depois, una-se timidamente ao grupo, manifestando uma aceitação verbal moderada (dizendo simplesmente "sim" ou "ah!") (5). Espere até que os seus sinais de aceitação sejam confirmados ou a sua presença seja positivamente reconhecida (2). Responda prontamente quando lhe fizerem uma pergunta direta (7). Por último, com todo o cuidado, afirme a sua presença, iniciando uma linha de conversa dentro do assunto que está sendo debatido (8) e dando educadamente a sua opinião (10). Mudar de assunto (3) e discordar de um ou mais membros do grupo (4) só são opções para aqueles que já têm a sua presença consolidada no grupo em questão.

EXCELENTE
Se você escolheu 6-9-1, depois 5-2-7, depois 8-10-3-4, NESSA ORDEM, você é dotado de uma excelente inteligência emocional social. Provavelmente é capaz de se inserir em novos grupos onde quer que vá e gosta de conhecer pessoas novas.

MÉDIO
Se as suas escolhas de opções para os grupos a, b e c foram respectivamente 6-9-1, 5-2-7 e 8-10-3-4, mas NÃO nessa ordem, ou se você optou por QUALQUER outra combinação — você é dotado de uma capacidade média de inteligência emocional social. Provavelmente tem um amplo círculo de amigos, mas pode ficar nervoso quando tem de ir sozinho a um acontecimento social onde não conhece ninguém ou quase ninguém. Essas situações servem para pôr à prova suas capacidades sociais — na próxima vez, leve um amigo para ganhar confiança ou ensaie assuntos para pequenas conversas. Se a sua linguagem corporal é aberta e você sorri e assume uma aparência amistosa, isso já é meio caminho andado para que você possa se aproximar dos outros e eles de você.

Você lida bem com os relacionamentos profissionais?

A MAIORIA DAS PESSOAS sabe o quanto é importante conservar um bom relacionamento com o chefe e os colegas de trabalho. O sucesso profissional depende em grande medida dessa capacidade de se relacionar bem com as outras pessoas. O desenvolvimento de boas relações com os colegas deve ser uma das suas prioridades, tanto para aumentar a sua produtividade quanto para melhorar as suas possibilidades de promoção — horizontalmente (com os colegas) e verticalmente (com os chefes e seus subordinados).

No seu emprego, quantas vezes você tem de tratar com outras pessoas, dentro ou fora da empresa? Provavelmente, isso ocorre com freqüência. Muita gente subestima a interação e a formação de relacionamentos informais com os colegas — é raro o gerente que recomenda essas coisas como oportunidades de crescimento ou objetivos pessoais. São as redes de comunicação interpessoal que determinam a diferença entre a realização eficiente de uma tarefa e a necessidade de parar continuamente diante de inúmeros obstáculos.

PONHA-SE À PROVA

Para cada pergunta, escolha as DUAS respostas que melhor descrevem o seu modo de ser.

1. Um colega o procura em busca de um conselho. No geral, o assunto é:
a) Uma questão de trabalho, na qual ele precisa da sua experiência.
b) Uma questão técnica, na qual ele precisa dos seus conhecimentos especializados.
c) Uma questão pessoal, na qual ele conta com a sua discrição.

2. Você precisa instalar um novo software em seu computador, mas ele não foi incluído no orçamento da sua equipe. O que você faria?
a) Imploraria ao seu chefe que mudasse o orçamento.
b) Pediria para o seu contato no Instituto de Tecnologia negociar com o fornecedor.
c) Conspiraria com um confidente acerca de como burlar o sistema.

3. No seu ambiente profissional, existe alguma pessoa a quem você recorreria se precisasse:
a) Descobrir quem poderia ajudá-lo num determinado departamento.
b) De informações especializadas para um projeto.
c) Conversar com alguém sobre uma possível mudança de emprego.

4. Você quer que seus colegas o ajudem a comemorar seu aniversário. Quem você convidaria?
a) Todo um grupo de pessoas que se dão bem umas com as outras.

RELACIONAMENTOS PROFISSIONAIS

⭐ Para melhorar

1. Aceite todos os convites para ocasiões sociais depois do trabalho. Converse com todas as pessoas que encontrar no bebedouro, na cantina ou no toalete. Caso trabalhe num escritório grande, faça questão de se lembrar dos nomes de todas as pessoas com quem se encontra regularmente e de conversar um pouco com todas.

2. Apresente-se como voluntário para dar treinamento aos novatos, mostrando-lhes o que e como fazer.

---

b) Umas poucas pessoas que fazem um trabalho semelhante ao seu.

c) Uma ou duas pessoas que você classificaria como amigos íntimos.

5. Pediram que você compusesse uma equipe de trabalho para fazer uma revisão crítica de certos procedimentos da empresa. O que você faria?

a) Chamaria os seus contatos sociais de todos os setores da empresa.

b) Convidaria um grupo seleto de especialistas escolhidos dos departamentos mais apropriados.

c) Pediria conselhos e opiniões aos seus colegas mais íntimos.

RESPOSTAS E INTERPRETAÇÕES

Se você deu mais respostas a, é porque você é membro de uma rede de comunicações*. Faz parte de um grupo de colegas que conversam regularmente e têm um agradável relacionamento social. Vocês podem contar uns com os outros quando se trata de remover obstáculos à realização de um projeto. As melhores redes de comunicações são interdepartamentais.

Se você deu mais respostas b, é porque você é membro de uma rede de conhecimento*. É conhecido por sua excelência técnica e, caso ocupe um lugar central nessa rede, tem mais chance de ser promovido.

Se você deu mais respostas c, é porque você faz parte de uma rede de confiança*. Pertence a um grupo fechado composto por pessoas que trocam informações delicadas sobre temas como os sentimentos pessoais e as possibilidades de reestruturação da empresa. Vocês podem contar com a discrição uns dos outros e recorrem uns aos outros quando estão em crise.

Observe a freqüência relativa de suas respostas (mais respostas a e c, por exemplo, ou uma mistura igual das três). As maiores estrelas de uma empresa têm ligações múltiplas e estáveis nos três tipos de rede. Se você marcou muitos pontos em uma só rede, procure desenvolver relacionamentos que representem as outras duas.

* Em *Inteligência Emocional* (1995), Daniel Goleman descreve três tipos de rede: de comunicações, de conhecimento e de confiança.

Você é um bom negociador?

O TALENTO NECESSÁRIO para fazer a mediação entre dois partidos litigantes, ou para garantir numa negociação uma posição vantajosa para si ou para a empresa, é um dos aspectos mais complexos da inteligência emocional. Exige a capacidade de identificar as emoções dos outros, de identificar-se com eles e de administrar essas emoções em nome das pessoas que você representa. Os grandes negociadores são figuras necessárias, tanto pessoal quanto profissionalmente. São excelentes diplomatas, juízes, advogados, corretores, magnatas e policiais.

PONHA-SE À PROVA

Teste 1
Você vai precisar de lápis e papel.

Por escrito, defina todos os modos pelos quais você poderia usar as seguintes emoções ou sentimentos numa negociação:

Entusiasmo   Raiva   Amizade

Teste 2
Você vai precisar de lápis e papel.

Imagine-se envolvido numa negociação. A outra parte perde completamente o controle, grita com você e bate na mesa com o punho fechado. Inspire-se num exemplo da vida real ou simplesmente imagine a situação. Pense em diversas maneiras pelas quais você poderia contornar essa explosão e diluir a agressividade.

Praticamente todas as interações profissionais dependem em alguma medida da negociação: as fusões e aquisições, as mudanças de posições de trabalho, o fechamento de contratos com fornecedores e clientes, até mesmo o estabelecimento de um rodízio de compra de café e rosquinhas. Os negociadores profissionais são ótimos para encontrar o meio entre dois extremos e para julgar qual o melhor modo de utilização dos pontos em comum: sabem falar e ouvir, são capazes de apresentar de forma clara os pontos mais delicados, mas nunca perdem de vista as considerações estratégicas; sabem quando devem ser flexíveis e quando devem endurecer. Os melhores negociadores podem até salvar vidas humanas — foi a capacidade de negociação de certas pessoas que garantiu, ao contrário de todas as previsões, a libertação de reféns retidos em situações terríveis, por exemplo.

⭐ Para melhorar

1. Assista ao desempenho de negociadores talentosos. Acompanhe os julgamentos transmitidos pela televisão e repare como os advogados aceitam certas coisas e refutam outras; como ouvem as provas apresentadas pela outra parte e depois apresentam argumentos contrários a elas. As apelações e as negociações em torno da sentença envolvem uma grande capacidade de barganha.

2. A capacidade de ouvir é essencial para a negociação. Pratique essa capacidade. Ofereça-se para tomar notas na próxima reunião de sua equipe de trabalho. Você será obrigado a "processar" as informações antes de escrevê-las. Se não compreender um comentário ou uma decisão, peça esclarecimentos para evitar quaisquer mal-entendidos.

RESPOSTAS E INTERPRETAÇÕES

TESTE 1
Você pode usar o entusiasmo para manter um determinado estado de espírito. A outra parte vai ver essa atitude como uma expressão de compromisso e energia. A raiva deve ser usada com muito cuidado e de maneira controlada. Quando você se sentir pressionado, uma estocada rápida e certeira pode servir para mostrar à outra parte que é você quem detém as rédeas da situação. A amizade é valiosa durante as negociações porque a outra parte se sente à vontade para relaxar e se abrir.

TESTE 2
Fique calmo. Afirme, de maneira explícita e categórica, que a situação atual não o agrada. Sugira uma pausa nas negociações. Retome as discussões num espírito mais calmo.

Se você concebeu somente um uso para cada emoção no teste 1, ou apenas uma ou duas ações no teste 2, você é dotado de capacidade média de negociação. O objetivo da negociação é eliminar os obstáculos que impedem uma tomada de decisão, de modo que a tarefa do negociador consiste em saber quais são esses obstáculos e por que eles existem. Permaneça na mesma questão até chegar a uma solução aceita por todas as partes; depois vá em frente.

Se você concebeu dois usos para cada emoção no teste 1, ou três ações no teste 2, você é dotado de uma boa capacidade de negociação. Tenha em mente as suas intenções estratégicas, bem como uma visão geral da direção que a discussão está tomando. Se for possível, use recursos visuais para apresentar suas idéias aos dois partidos.

Se você conceber três usos para cada emoção no teste 1, ou quatro ou mais ações no teste 2, é dotado de uma excelente capacidade de negociação. Trata-se de uma capacidade preciosa para a mediação das fusões e aquisições empresariais e dá bons resultados também na vida particular.

Você é um bom líder?

A INTELIGÊNCIA EMOCIONAL desempenha papel crucial na atividade de liderança: críticas construtivas, avaliações e elogios são instrumentos importantíssimos para melhorar a motivação e o desempenho da equipe. Em *Primal Leadership: Realizing the Power of Emotional Intelligence* (2001), Daniel Goleman e seus colaboradores identificam quatro maneiras positivas de exercer a liderança — a atitude visionária, a de orientação, a de filiação e a democrática — e deixam claro que os líderes mais bem-sucedidos são os capazes de mudar de estilo. Quer seja você um líder de equipe, um chefe de departamento ou um diretor-executivo, a aquisição de informações acerca do seu estilo de liderar vai lhe dar boas idéias acerca dos aspectos positivos e negativos do seu potencial de liderança.

Os líderes visionários dão instruções claras, mas deixam as pessoas livres para escolher como atingir os objetivos pretendidos. Os líderes orientadores fazem uma mediação entre as vontades das pessoas e os objetivos da empresa. Os líderes filiadores desenvolvem equipes motivadas, com membros ligados por laços íntimos, e estimulam a formação de um ambiente de trabalho saudável e amistoso, que quase se põe acima dos objetivos da empresa. Os líderes democráticos encorajam a participação, obtendo o apoio e a fidelidade de seus liderados. Fazem uso do trabalho em equipe, da negociação e da identificação com os sentimentos dos comandados para fazê-los sentir-se membros participantes da equipe, com direito a voz e com uma contribuição importante a fornecer.

PONHA-SE À PROVA

Ponha em ordem as seguintes afirmações, da mais importante para a menos importante, de acordo com as suas crenças sobre a liderança.

1. Comunico minha visão à minha equipe, mas são eles que têm de inovar e fazer experiências para alcançar os objetivos determinados.
2. Valorizo as pessoas e seus sentimentos; por isso, me esforço para mantê-las felizes e construir um espírito de equipe.
3. Acredito que ninguém, por si só, sabe todas as coisas; por isso, costumo recorrer à minha equipe em busca de idéias.
4. Acredito na partilha das informações e do conhecimento, para que todos os membros da equipe se sintam incluídos no grupo e sejam capazes de dar a sua contribuição.
5. Creio que, quando as pessoas estão contentes e se sentem apoiadas pelo chefe, a realização dos objetivos é mera conseqüência.
6. Levo muito a sério o crescimento pessoal dos membros da minha equipe.
7. Acho que saber ouvir é tão importante quanto saber comunicar as próprias idéias.
8. Acredito na minha equipe, invisto em cada um dos membros e me preocupo com eles; por isso, espero que eles dêem o melhor de si.

RESPOSTAS E INTERPRETAÇÕES

Se as respostas 1 e 4 estavam entre as três primeiras — você é um líder visionário. Tente associar esse seu estilo ao estilo filiador. O líder visionário pode parecer distante e mais preocupado com a empresa do que com as pessoas; o estilo afiliador pode fazer diminuir essa impressão.

Se as respostas 6 e 8 estavam entre as três primeiras — você é um líder orientador. Tente associar esse seu estilo à apresentação de objetivos claros aos membros da sua equipe, objetivos que reflitam a direção estratégica da empresa.

Se as respostas 2 e 5 estavam entre as três primeiras — você é um líder filiador. Associe esse seu estilo ao estilo visionário. É importante cuidar dos subordinados, mas é preciso dar-lhes também uma direção definida.

Se as respostas 3 e 7 estavam entre as três primeiras — você é um líder democrático. Precisa saber que, em certos momentos, você terá de pegar para si as rédeas da situação e tomar decisões autocráticas.

✪ Para melhorar

1. Analise o estilo de liderança de diversas pessoas — seu chefe, o presidente da empresa, um líder religioso, o atual Presidente da República.

2. Peça a diversas pessoas que você já comandou — quer num contexto profissional, quer num contexto social — que façam o teste e avaliem o seu estilo de liderança. Compare as respostas delas com a sua própria avaliação.

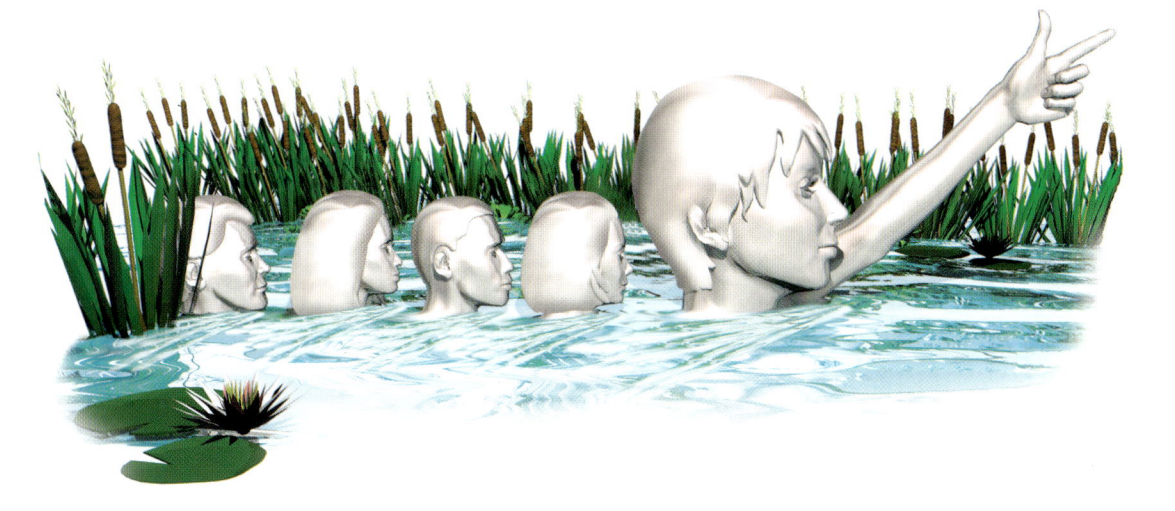

Sua inteligência emocional

Depois de ter concluído todos os testes, você poderá avaliar os seus resultados para ter uma visão geral dos seus pontos fortes. Confira os respectivos quadros de cada um dos seus perfis nos testes (*veja a página ao lado*).

- Se você assinalou 5 ou mais vezes a coluna "Médio", então tem uma inteligência emocional satisfatória. É provável que goste da companhia dos outros, mas acha algumas situações emocionais difíceis ou desafiadoras.
- Se você assinalou 5 ou mais vezes a coluna "Bom", ou obteve resultados espalhados por igual nas três categorias, então tem uma inteligência emocional boa. Você provavelmente tem bons relacionamentos e apenas ocasionalmente tem explosões emocionais.
- Se você assinalou 5 ou mais vezes a coluna "Excelente", então tem uma inteligência emocional superior. Você provavelmente é benquisto e confiante, e tem relacionamentos estáveis e carinhosos.

Desenvolvendo e melhorando a inteligência emocional

Você tem tudo a ganhar ao desenvolver a sua inteligência emocional. Concentre-se em melhorar a sua empatia tentando entender as motivações por trás do comportamento dos outros. Aprenda a resolver os conflitos aplicando as suas habilidades de negociação: ouvir com atenção é tão importante quanto a capacidade de se expressar bem. Desenvolva os seus conhecimentos de dinâmica de grupo observando a atuação de pessoas socialmente mais experientes e aprendendo com elas.

Praticar é uma maneira divertida de desenvolver a inteligência emocional, porque é preciso que você finja ser outra pessoa, com um ponto de vista e um conjunto de motivações diferentes. Entre para um grupo de teatro amador, ou encene uma peça de mistério e assassinato com os amigos, onde possa interpretar e representar papéis diferentes.

Se você tem uma inteligência emocional de satisfatória a boa, procure pensar no que motiva as pessoas e coloque-se no lugar delas. Considere sempre o quadro como um conjunto, porque todo mundo sempre tem alguma bagagem emocional.

Se você tem uma inteligência emocional superior, pergunte-se se o seu relacionamento com os seus pais ou os seus filhos é exatamente o que esperava. Você é um administrador ou negociador de talento, mas considera os seus argumentos com os seus interlocutores decepcionantes ou inócuos? Aplique-se com mais afinco, de maneira mais consciente e concentrada.

Tratando com as crianças

A inteligência emocional é uma habilidade fundamental entre as crianças e o que elas ganham se relacionando com os colegas é uma experiência para o resto da vida. Você pode, por exemplo:

- Estimular os seus filhos a conversar sobre os sentimentos deles sempre que acontecerem coisas boas ou ruins com eles. Toda ação tem uma motivação e por trás de cada sentimento há um pensamento. Talvez você precise dar algum estímulo por meio de perguntas do tipo: "Como você se sentiu na hora?" e "Como acha que se sentiu?"
- Criar oportunidades e organizar atividades para interações sociais entre os seus filhos e os colegas da escola. A capacidade de se relacionar com as pessoas de origem e educação diferentes é uma experiência essencial na vida e que será útil aos seus filhos no futuro.

AVALIAÇÃO E APRIMORAMENTO

RELACIONAMENTOS A DOIS			
	Médio ✓	Bom ✓	Excelente ✓
Teste 1 (pp. 82-83)			
	Fuga	Volátil	Resolução
Teste 2 (pp. 84-85)			
RELACIONAMENTOS FAMILIARES			
	Não apegado	Apegado	Muito apegado
Teste 1 (pp. 88-89)			
	Conhecidos	Familiares	Amigos
Teste 2 (pp. 90-91)			
	Médio ✓	Bom ✓	Excelente ✓
Teste 3 (pp. 92-93)			
RELACIONAMENTOS SOCIAIS			
	Médio ✓	Bom ✓	Excelente ✓
Teste 1 (pp. 94-95)			
	Controla as emoções	Estabelece empatia	Desperta emoções nos outros
Teste 2 (pp. 96-97)			
	Médio ✓	Bom ✓	Excelente ✓
Teste 3 (pp. 98-99)			
RELACIONAMENTOS PROFISSIONAIS			
	Uma rede de relações	Duas redes de relações	Três redes de relações
Teste 1 (pp. 100-01)			
	Médio ✓	Bom ✓	Excelente ✓
Teste 2 (pp. 102-03)			
	Filiador ou democrático	Orientador	Visionário
Teste 3 (pp. 104-05)			

5

INTELIGÊNCIA PESSOAL

… INTELIGÊNCIA PESSOAL

O que é inteligência pessoal?

INTELIGÊNCIA PESSOAL é a nossa capacidade de nos controlarmos pela consciência, pelo reconhecimento e pela compreensão dos nossos sentimentos, desejos e intenções. Sem esse tipo de inteligência, somos arrebatados por emoções turbulentas, ficamos desorientados como um barco desgovernado num mar tempestuoso, tornando-nos propensos a explosões irracionais e a recolhimentos ressentidos. Com esse tipo de inteligência, somos capazes de nos motivar, retardar reações impulsivas a situações tensas e aprender a nos controlar.

À primeira vista, as nossas emoções podem parecer prontamente acessíveis: sabemos quando estamos com raiva e quando estamos contentes. No entanto, há ocasiões em que nos comportamos de determinada maneira por causa de sentimentos dissimulados, quando então um comentário do tipo "Você está de mau humor!" nos pega desprevenidos. Isso normalmente dispara um processo interior de avaliação e reconhecimento da razão de nos sentirmos assim, às vezes por uma atitude agressiva de um vendedor numa loja em outra hora do dia ou pela chegada de uma cobrança inesperada pelo correio. A capacidade de refletir sobre os pensamentos e sentimentos antes de agir é o que melhor caracteriza a inteligência pessoal.

Emoções subjetivas
As emoções são reações psicológicas e físicas aos sentimentos. Algumas são diretas como a tristeza, a alegria e o medo, embora existam muitas nuances sutis em cada uma delas. Outras são misturas complexas de emoções, como o ciúme — uma combinação de raiva, tristeza, medo e ansiedade. Do mesmo modo, o amor pode ser uma

mistura de felicidade, orgulho, segurança e satisfação. O primeiro passo para atingir a inteligência pessoal é fazer uma avaliação das diversas emoções que influenciam os nossos humores e pensamentos.

Autoconsciência

A capacidade de acompanhar o próprio modo de pensar, detendo-nos para questionar os pensamentos e sentimentos como se nos observássemos de fora, é o que se chama de autoconsciência. Na maioria das vezes, pensamentos de censura nos inibem e frases como "Não quero pensar sobre isso" ou "Não devia ter falado" surgem entre os nossos pensamentos. A autoconsciência deveria ser um processo construtivo, mas geralmente somos nossos críticos severos ou nos julgamos com excessivo rigor. Permitir que os fatos sejam reenquadrados de maneira positiva requer tempo e cabeça fria.

Autocontrole

Há uma distância enorme entre sentir algo e agir de acordo com isso. É preciso um forte autocontrole para separar as duas coisas. Se você está se sentindo meio por baixo, por exemplo, faz sentido querer se animar, e a capacidade de reagir é uma habilidade fundamental na vida. Embora se aprenda o autocontrole emocional básico desde a mais tenra idade — os bebês, por exemplo, aprendem a não pedir o impossível ou a gritar e a chorar quando contrariados — a capacidade de controlar emoções complexas desafia até as pessoas com maior inteligência emocional.

Por que a inteligência pessoal é importante?

É difícil imaginar algum aspecto da vida em que não seja vantajoso ter a inteligência pessoal altamente desenvolvida.

Em vez de ser presa de uma emoção negativa, você se torna capaz de pensar por que está se sentindo dessa ou daquela maneira, considerar se há um motivo "verdadeiro" por trás dessa sensação e criar opções para mudar. Essa análise em profundidade tem o efeito estimulante de aumentar a sua compreensão sobre as emoções e ações das outras pessoas. Então, você pode usar esse conhecimento para mudar a sua maneira de ver as pessoas ou de lidar com elas. Como resultado, você fica mais propenso a ser positivo, feliz, otimista e mentalmente mais maleável.

Ao aplicar a inteligência pessoal no trabalho, você ganha a reputação de ser uma pessoa capaz de manter a equipe unida, que, além de não criar conflitos, tem a capacidade de superá-los quando ocorrem. O otimismo anda de mãos dadas com o entusiasmo e a energia positiva, que mantêm o dinamismo e o progresso de uma organização. Você será popular entre os colegas e valorizado pela sua honestidade e solidariedade. A política faz parte do cotidiano profissional, mas você terá a habilidade necessária para reconhecer os jogos de poder e passar por eles são e salvo. Como resultado, terá mais probabilidade de ser produtivo, promovido, confiável e mais preparado para lidar com os momentos de tensão.

As pessoas com maior inteligência emocional são perspicazes, controladas, equilibradas e vivem em harmonia com todos. Elas tendem a ser otimistas em relação a resultados melhores, a que conseguem chegar por manter uma atitude mental positiva.

Você é autoconsciente?

A CARACTERÍSTICA FUNDAMENTAL da inteligência emocional é ter consciência dos sentimentos no instante em que eles ocorrem. O passo seguinte é decidir trocar esses sentimentos por outros melhores. Então será preciso recorrer aos seus mais profundos recursos subjetivos e talvez a uma força de vontade considerável. As pessoas com essa capacidade são em geral psicologicamente saudáveis e têm uma visão positiva da vida.

Autoconsciência não significa ruminar longamente as emoções negativas. Tão logo é identificada uma emoção preocupante, a pessoa com elevada inteligência pessoal não se prende a ela e já procura livrar-se dela. Pode parecer contraditório que uma pessoa autoconsciente pareça extrovertida, não introvertida, mas ser capaz de recompor as emoções negativas requer, muitas vezes, uma percepção profunda dos sentimentos e opiniões das outras pessoas.

AVALIE A SUA AUTOCONSCIÊNCIA

Dentre as afirmações abaixo, escolha quatro que mais se apliquem a você.

☐ **1.** Normalmente estou de bom humor — eu sou assim mesmo.

☐ **2.** Quando estou de mau humor, em geral consigo revertê-lo pensando positivamente.

☐ **3.** Às vezes não sei explicar por que estou feliz ou triste.

☐ **4.** Se acontece uma coisa terrível no mundo, tento não pensar a respeito, porque pode ser muito aborrecido.

☐ **5.** Se me irrito, paro e me pergunto por que estou assim.

☐ **6.** Às vezes me sinto sobrecarregado pelas emoções e emocionalmente fora de controle.

☐ **7.** Constantemente percebo as minhas emoções, fazendo uma pausa para pensar por que as sinto e se quero mudá-las.

☐ **8.** Acho muito difícil mudar o meu estado de humor quando estou deprimido.

AUTOCONSCIÊNCIA 113

⭐ Para melhorar

1. Mantenha um bloco de anotações e tome nota de todas as emoções que sentir no curso de um dia, por mais banais ou superficiais que pareçam. Antes de dormir, tome nota de quanto durou cada emoção e se você fez alguma coisa para mudá-la.

2. Compre um cesto de "mau humor" (para quando se sentir deprimido) e encha-o com as suas coisas prediletas, que você pode pegar quando precisar elevar o ânimo.

☐ **9.** Quando alguém interfere comigo, faço um esforço concentrado para pensar nas coisas do ponto de vista daquela pessoa.

☐ **10.** Às vezes sei que devia tentar me recuperar quando me sinto por baixo, mas não tenho energia para isso.

RESPOSTAS E INTERPRETAÇÕES

Some o número de pontos das afirmações que mais se aplicam a você.

1. 5 pontos; 2. 10 pontos; 3. 2 pontos;
4. 5 pontos; 5. 10 pontos; 6. 2 pontos;
7. 10 pontos; 8. 2 pontos; 9. 10 pontos;
10. 5 pontos.

20 pontos ou menos — você tem um estilo de autoconsciência interiorizado*. Por ser incapaz de analisar os seus sentimentos naturalmente, você faz um esforço concentrado para descobrir as suas emoções. Como às vezes elas parecem sobrecarregá-lo, parece-lhe que está perdendo o controle. Aprenda a assumir a responsabilidade pelos seus sentimentos.

Entre 20 e 30 pontos — você tem um estilo de autoconsciência compreensivo*, é consciente dos seus sentimentos e humores, mas deixa que o envolvam sem tentar mudá-los. Não se deixe mais envolver por emoções negativas.

30 pontos ou mais — você tem um estilo autoconsciente*. É capaz de acompanhar e controlar os seus sentimentos e humores, além de tomar medidas para mudar as suas emoções negativas. Procure observar e analisar os sentimentos das outras pessoas, uma vez que é muito importante ter uma compreensão psicológica da motivação das pessoas com que convive.

* Em *Inteligência Emocional* (1995), Daniel Goleman sugere três estilos de autoconsciência emocional (interiorizado, compreensivo e autoconsciente).

Você tem medo de ficar sozinho?

Ser capaz de superar o medo da solidão é importante para a autoconsciência emocional. Isso lhe dá a oportunidade de interessar-se por si mesmo e aprender a se amar. Até certo ponto, todos precisamos da companhia dos outros, mas a dependência total não é saudável. Se você começar a desfrutar de verdade do tempo que passa sozinho, entrará num processo de descoberta de si mesmo: vai se valorizar mais, conhecer-se melhor e tomar mais consciência dos seus pontos fortes e fracos.

Você procura ficar distante e se dá bem isolado de todos, ou se sente ansioso e incomodado só de pensar em ficar sozinho? Se gosta de ser você mesmo, é possível que seja introvertido e encontre forças no seu íntimo. Se tem aversão à idéia de solidão, você provavelmente é mais extrovertido e tira a sua energia das pessoas ao seu redor. Em verdade, o introvertido precisa ficar sozinho para recarregar as baterias mentais, uma vez que considera extenuante ter de se relacionar com as pessoas. O extrovertido considera ficar sozinho algo deprimente; o isolamento o faz sentir-se solitário e ele não vê a própria companhia como algo valioso.

Manter um diário pessoal é uma técnica excelente para se conhecer melhor, pois esse hábito lhe oferece um meio de contemplação. Nele, você pode ser inteiramente sincero de uma maneira que é impossível com as outras pessoas. Comece a se conhecer melhor, dedicando a isso uma parte da sua vida agitada e fazendo disso uma prioridade.

PROVE A SUA CAPACIDADE

Durante uma semana, tente registrar num diário tudo o que lhe acontecer. Encontre uma hora e um lugar para isso — por exemplo, antes de ir dormir — quando não será interrompido. Escreva durante pelo menos 15 minutos, pode ser tanto à mão, à máquina, quanto no computador, sobre si mesmo e os seus relacionamentos.

Não se preocupe com os erros ortográficos ou gramaticais. Deixe a mente vagar livremente: escreva sobre algo com que se preocupou, sobre algo que adoraria que acontecesse, sobre como você se sente, sobre quem você ama, até mesmo sobre perguntas que gostaria de ter respondido.

RESPOSTAS E INTERPRETAÇÕES

Se você se sente incomodado em pensar, falar ou escrever sobre si mesmo, acha difícil encontrar um tempo para isso ou desistiu de escrever o diário em menos de uma semana — a sua convivência com a solidão é média. Você gosta da companhia das pessoas e encontra tempo para se isolar.

Se você gostou de tirar as preocupações do peito, não precisou se esforçar muito para encontrar tempo, mas sentiu o entusiasmo se esvair aos poucos — a sua convivência com a solidão é boa. Você gosta da companhia dos outros, mas às vezes precisa de algum tempo sozinho para recarregar as baterias.

Se você adorou refletir sobre a sua vida, continua mantendo o diário e gostou de descobrir coisas sobre si mesmo — a sua convivência com a solidão é excelente. Provavelmente, você tem muita força interior e é capaz de enfrentar qualquer situação.

⭐ Para melhorar

1. Faça programas consigo mesmo: tente sair sozinho, para ir jantar ou ir ao cinema. Repita essas ocasiões até que elas se tornem naturais para você.

2. Encontre um lugar calmo e isolado num parque onde possa sentar-se por 10 minutos. Pratique um pouco de respiração, inspirando e expirando várias vezes, devagar e profundamente. Concentre-se num objeto próximo, uma árvore ou uma nuvem, e solte o pensamento.

Você consegue distinguir entre pensamentos, emoções e reações?

É DIFÍCIL FAZER DISTINÇÃO entre pensamentos, emoções e reações porque eles ocorrem quase simultaneamente à medida que são estimulados por fatores externos. Um dos maiores obstáculos a reconhecer os pensamentos com exatidão é a dedução errônea ou derrotista do tipo, por exemplo, "Ela gritou comigo, então deve me odiar". Esse tipo de pensamento considera as coisas de maneira muito pessoal, generaliza em excesso e concentra-se no lado ruim. A capacidade de separar e classificar os pensamentos como processos cognitivos, as emoções como efeitos psicológicos e as reações como respostas físicas é o segredo da autoconsciência altamente desenvolvida e eficaz.

AVALIE A SUA INTELIGÊNCIA PESSOAL

Classifique as opções a seguir como um pensamento, uma emoção ou uma reação.

1. Você passa uma hora se aprontando para acompanhar o seu parceiro(a) a uma festa, mas, quando aparece, ele (ela) se esquece de comentar sobre a sua aparência. Você...
a) Gostaria que ele (ela) fizesse um comentário.
b) Pergunta-lhe sobre a sua aparência.
c) Desanima-se por ele (ela) não ter notado todo o seu esforço.

2. A sua mãe envia-lhe um lindo presente em comemoração pela sua promoção. Você...
a) Aprecia o gesto.
b) Gosta de verdade que ela se sinta orgulhosa por sua causa.
c) Telefona para ela para agradecer.

3. A sua melhor amiga cancela um almoço com você no último instante por causa de um compromisso inesperado. Você...
a) Se aborrece.
b) Acredita que seja deslealdade dela.
c) Não dá muita importância e muda os planos para o almoço.

4. Você começou a trabalhar num novo emprego e um colega no escritório procura prejudicá-lo perante o gerente. Você...
a) Conversa em particular sobre o assunto com o seu chefe.
b) Aborrece-se com o mau procedimento do colega.
c) Imagina por que o colega sente-se ameaçado por você.

Para melhorar

1. Anote algumas seqüências de pensamento => sentimento => ação em relação a situações hipotéticas. Por exemplo, o que aconteceria se o seu parceiro(a) se atrasasse muito para chegar do trabalho e não tivesse lhe telefonado avisando?

2. Peça a opinião de um amigo sobre uma discussão que tiveram algum tempo atrás. Talvez você descubra que ele teve uma impressão do assunto completamente diferente da sua.

5. *Numa noite, o casal de amigos com que você saiu tem uma discussão e acaba brigando. Você...*
a) Aborrece-se com o fato de eles terem estragado a noitada.
b) Decide não se envolver.
c) Prefere que eles esqueçam as diferenças e continuem juntos.

RESPOSTAS E INTERPRETAÇÕES

Marque 1 ponto para cada resposta correta
Pontuação máxima = 15

1. *a)* pensamento; *b)* reação; *c)* emoção
2. *a)* pensamento; *b)* emoção; *c)* reação
3. *a)* emoção; *b)* pensamento; *c)* reação
4. *a)* reação; *b)* emoção; *c)* pensamento
5. *a)* emoção; *b)* reação; *c)* pensamento

6 pontos ou menos — a sua autoconsciência é média e você provavelmente é uma pessoa emotiva, que primeiro age e fala, e só depois pensa. Por você tender a ser uma pessoa direta, não é considerada como calculista ou maligna, mas nem sempre se controla. Observe a diferença entre ação e reação: você decide como agir, mas a reação "acontece". Procure se controlar e agir, em vez de reagir.

Entre 7 e 13 pontos — a sua autoconsciência é boa e você provavelmente acha difícil ver as diferenças sutis entre pensamentos e sentimentos, mas pode exercitar o autocontrole quando é preciso agir e reagir. Lembre-se: é difícil segurar os sentimentos depois que as comportas foram abertas, portanto retome os seus pensamentos e seja duro e realista consigo mesmo.

14 pontos ou mais — a sua autoconsciência é excelente e você é capaz de manter o controle sobre os seus sentimentos e de impedir explosões sentimentais inconvenientes. Essa capacidade é inestimável em ocupações de muita responsabilidade como a dos serviços de emergência.

Você expressa ou reprime as emoções?

Usamos toda a gama de informações disponibilizadas pelos nossos sentidos, pensamentos, experiências passadas e emoções para tomar decisões, tanto grandes quanto pequenas. Existe uma forte correlação entre os acontecimentos e os sentimentos: um sentimento de perda faz você sentir-se triste enquanto um acontecimento atual pode desenterrar emoções passadas. Os sentimentos são importantes, mas podemos escolher como lidar melhor com eles. Em geral, você pode tanto exprimir os seus sentimentos quanto reprimi-los e guardá-los para si. Você costuma perder a calma com muita freqüência? Sente-se ameaçado sempre que algo dá errado? Acha difícil tomar uma decisão sobre qualquer assunto ou desorienta-se mesmo quando devia ficar com raiva? Aprendendo a reagir de maneira correta aos seus sentimentos, você pode encontrar outras maneiras de expressar as suas emoções.

Toda ocasião em que o seu comportamento é ou pode ser influenciado por um sentimento dá-lhe a oportunidade de exercer algum tipo de decisão sobre como e até que ponto gostaria de expressar uma determinada emoção.

AVALIE O SEU AUTOCONTROLE

Você vai precisar de papel e caneta. Pense num acontecimento com que se aborreceu na época, como o fim de um relacionamento ou um rompimento definitivo de uma amizade.

- A força dos seus sentimentos correspondeu à situação?
- Você experimentou emoções conflitantes?
- Você tinha idéias prontas ou preconceitos que influíram sobre os seus sentimentos?
- Quais julgamentos você fez sobre o acontecimento?

Como você reagiria caso se visse na mesma situação hoje? Tome nota das suas idéias, enquanto se pergunta:

- Quais são as minhas opções para expressar os meus sentimentos?
- Quais seriam as conseqüências de cada opção para mim?
- Quais seriam as conseqüências de cada opção para a outra pessoa envolvida?
- Que resultado estou esperando?
- O que quero fazer?
- O que aconteceria se eu não fizesse nada?

AUTOCONTROLE

RESPOSTAS E INTERPRETAÇÕES

Se as suas respostas permitiram-lhe adiar ou evitar sentimentos dolorosos reprimindo as suas emoções, o seu autocontrole emocional é médio. Por exemplo, se um amigo estiver para mudar da cidade, você poderá evitá-lo para não precisar se despedir. Lembre-se de que você tem uma porção de opções disponíveis quando se trata de expressar uma emoção — não precisa escolher entre extremos.

Se as suas respostas permitiram-lhe conhecer as suas emoções, o seu autocontrole emocional é bom. Por exemplo, se um amigo estiver para mudar da cidade, você pode escolher passar mais tempo com ele antes da partida. Faça algumas perguntas a si mesmo para entender melhor a situação. O que exatamente estou sentindo? O quanto isso me ajuda a entender a situação? Por que estou sentindo isso justo agora? Quando e por que me senti assim antes?

Se as suas respostas deram-lhe a oportunidade de expressar as suas emoções, por mais difícil que tenha sido, então o seu autocontrole emocional é excelente. Por exemplo, se um amigo estiver para mudar da cidade, você pode decidir passar um fim de semana com ele um pouco antes da partida, para colocarem a conversa em dia.

⭐ Para melhorar

1. Faça uma lista de ocasiões imaginárias em que seria adequado reprimir as suas emoções.

2. Desenhe uma árvore de decisão considerando exprimir ou reprimir as suas emoções perante o mesmo problema, e vá desenhando as hipóteses prováveis como galhos, dependendo das escolhas emocionais que você fizesse. Se sentisse que o seu chefe não está lhe dando apoio, você poderia: a) dizer a ele como você se sente; b) reclamar com um colega; c) romper com ele e procurar outro emprego. Se escolher a resposta "a", você poderia planejar uma reunião e organizar as evidências para sustentar a sua instabilidade emocional, ou poderia irromper na sala dele e bater a porta com raiva. Se preferir marcar uma reunião, é mais provável (embora não certo) que você consiga o equilíbrio emocional e o resultado que pretende.

Você é otimista ou pessimista?

O OTIMISTA CONSIDERA O FRACASSO como algo temporário, não pessoal e específico, causado por razões que podem ser mudadas. Ele pensa: "Isso não deu certo hoje, mas me ensinou muita coisa e vou melhorar." O pessimista vê o fracasso como algo permanente, pessoal e como parte da vida, atribuído a razões que ele não pode alterar. Ele pensa: "Isso não deu certo porque não posso fazer com que dê certo." Por incrível que pareça, o otimismo e o pessimismo são comportamentos aprendidos, não uma parte inerente e imutável da nossa personalidade. O otimismo é uma parte crucial da inteligência emocional — ele permite que você se recupere de um fracasso ou de um desastre e aprenda com isso. O otimista tem um desempenho superior ao de qualquer pessoa na vida: ele tem um quadro de referência positivo, encontra mais soluções para os problemas, não perde tempo com más experiências e acredita que as coisas boas aparecerão no seu caminho (e geralmente é o que acontece). Vale a pena observar, porém, que o otimismo é realista e não iludido ou ingênuo.

PONHA-SE À PROVA

Qual das duas opções melhor caracteriza você?

1. Quando estou atrasado para concluir um relatório no trabalho, é mais provável pensar:
a) Não soube administrar o meu tempo e me interromperam demais.
b) Vou ter de reservar mais tempo da próxima vez.

2. Se conto uma piada numa festa e todo mundo ri, é bem capaz que eu pense:
a) A piada era engraçada.
b) Eu estava em ótima forma e meu desempenho foi impecável.

3. Se o meu chefe grita comigo, é provável que eu pense que:
a) Ele deve estar irritado porque fiz alguma coisa errada.
b) Ele só está de mau humor.

4. Se deixo de ser eleito para a comissão de funcionários no trabalho, é mais provável que conclua:
a) As pessoas não gostaram das minhas idéias.
b) Não soube comunicar as minhas idéias bem o bastante.

5. Quando sou bem-sucedido em alguma coisa, é mais provável que:
a) Isso me deixe feliz por ter conseguido driblar todas as armadilhas.
b) Inspire-me a exigir ainda mais de mim.

AUTOCONTROLE 121

RESPOSTAS E INTERPRETAÇÕES

Maior número de a — você tende a ser mais pessimista que otimista e provavelmente acredita em destino. Você considera as críticas como pessoais e pode se ver no papel de vítima.

Número igual de a e b — você é igualmente pessimista e otimista, e provavelmente se vê como uma pessoa otimista e confiante, mas com uma tendência a se condenar amargamente quando baixa a guarda.

Maior número de b — você é extremamente otimista e robusto, do ponto de vista emocional, e se daria bem trabalhando em vendas, pois seu otimismo não deixaria que as rejeições o desmotivassem.

⭐ Para melhorar

1. Relacione cinco acontecimentos da semana anterior que tenham sido diretamente influenciados pelo seu otimismo ou pessimismo. Para cada um, anote os respectivos modos de pensar e os resultados prováveis, dependendo de você ter sido otimista ou pessimista.

2. Pense nos personagens de um livro que esteja lendo. Defina cada um como sendo otimista ou pessimista, ou uma combinação de ambos. Identifique as características de personalidade de cada um desses personagens que fizeram você tirar as suas conclusões.

Você consegue mudar o seu humor?

Os humores são extensões duradouras de emoções resultantes de um acontecimento ou cadeia de acontecimentos que as provocaram. As emoções costumam ser sentimentos muito fortes, que se manifestam no calor do momento, ao passo que os humores são mais atenuados mas podem durar por horas ou até mesmo dias. As pessoas emocionalmente inteligentes reconhecem quando o humor começa a declinar e tomam as medidas necessárias para se recompor. O mau humor, ou humor depressivo, gera pensamentos errôneos que têm um âmbito limitado (e limitante), causam pensamentos negativos e bloqueiam a agilidade mental. A capacidade de melhorar o humor, ou mudá-lo para melhor, é essencial para a saúde mental e o sucesso emocional, qualquer que seja a sua idade.

AVALIE A SUA CAPACIDADE

Imagine que você esteja deprimido e de baixo astral. Verifique os quatro mecanismos de recuperação que mais se aplicam a você.

☐ **1.** Choro bastante.

☐ **2.** Encontro algo com que me distrair, como assistir a um jogo ou a uma comédia interessantes.

☐ **3.** Saio para dar uma caminhada, ou vou à academia de ginástica.

☐ **4.** Vou olhar as vitrines ou comprar alguma coisa no comércio.

☐ **5.** Sempre procuro me comparar com alguém em piores condições que as minhas.

☐ **6.** Mergulho num banho quente de imersão com velas aromáticas e óleos essenciais.

☐ **7.** Tomo uma bebida alcoólica.

☐ **8.** Compro a minha comida predileta, peço que entreguem em casa, ou preparo uma refeição especial para mim.

☐ **9.** Tiro o dia de folga e fico na cama.

☐ **10.** Faço uma tarefa doméstica que vinha adiando havia muito tempo.

AUTOCONTROLE 123

RESPOSTAS E INTERPRETAÇÕES

Some os pontos dos quatro mecanismos de recuperação que mais se aplicam a você.

1. 5 pontos; 2. 10 pontos; 3. 10 pontos; 4. 5 pontos; 5. 5 pontos; 6. 5 pontos; 7. 2 pontos; 8. 2 pontos; 9. 2 pontos; 10. 10 pontos.

Menos de 15 pontos — a sua capacidade de recuperar o bom humor é média e você muito provavelmente acha difícil mudar os seus humores. Procure levar em conta o que tem de bom; pense em tudo o que deu certo na sua vida; desfrute os momentos com os amigos e as pessoas que se preocupam com você.

Entre 15 e 25 pontos — a sua capacidade de recuperar o bom humor é boa e você talvez seja capaz de perceber o seu estado de humor e de tomar providências para mudá-lo. Descubra o que provoca os maus sentimentos e desperta o mau humor. Comece a reduzir, evitar e eliminar essas coisas: não veja filmes deprimentes, fique longe de gente mal-humorada, limite as suas atividades estressantes. Não perca tempo com coisas insignificantes.

Acima de 25 pontos — a sua capacidade de recuperar o bom humor é excelente e é bem provável que você seja uma pessoa positiva, com muita força interior para melhorar o humor. Você se sairia muito bem nos serviços médicos, onde as pessoas precisam enfrentar situações aflitivas, sem se deixar deprimir pelo trabalho.

✪ Para melhorar

1. Trate-se bem depois de um dia difícil. Faça uma limpeza de pele, use óleos aromáticos, alugue um filme interessante, saia para dançar ou mergulhe num livro que estava querendo ler.

2. Torne-se uma pessoa mais ativa — dê uma volta no quarteirão todos os dias no horário do almoço, ou salte do ônibus uns dois pontos antes do seu destino. Os exercícios físicos produzem as endorfinas, a "droga da alegria" que o seu corpo produz.

Você tem uma mente "sadia"?

É NATURAL SENTIR uma grande variedade de emoções e humores. A maioria das pessoas é capaz de se recuperar de pensamentos de ansiedade e depressão, reações a situações tensas ou situações difíceis na vida. No entanto, se os sintomas mentais de depressão se desenvolverem e esses sentimentos persistirem, eles começarão a interferir no comportamento normal. As pessoas que são deprimidas perdem o brilho e o prazer de viver. Elas têm dificuldade de dormir, de se concentrar e de se motivar. Todos nós sentimos um pouco deprimidos de vez em quando, mas a capacidade de afastar os sentimentos depressivos é decisiva para manter a mente "sadia". Todos também nos sentimos ansiosos em momentos importantes da nossa vida: como antes de uma entrevista de emprego ou de uma palestra para a diretoria. Esses sentimentos de ansiedade acumulam-se no corpo, produzindo uma reação fisiológica em resposta a uma ameaça percebida. Depois que a "ameaça" passa, passam também os sintomas, mas às vezes eles podem perdurar, resultando na fuga das situações que os provocaram. As fobias são tipos bastante comuns de ansiedade. Elas representam um medo irracional de determinados objetos, animais ou lugares, como a aracnofobia (a aversão a aranhas) ou a claustrofobia (terror de espaços confinados). Os acessos de pânico são outro sintoma comum de ansiedade.

AVALIE O SEU ESTADO

Responda "sim" ou "não" às perguntas.

Alguma vez você...

1. Tomou medidas extremas para evitar determinados lugares ou situações?
2. Sentiu o coração disparar e o sangue subir às faces?
3. Sentiu-se tão triste que não conseguiu encarar ninguém nem fazer nada?
4. Teve sensações repentinas e intensas de condenação iminente ou medo?
5. Fixou a mente em algo e não foi capaz de parar de se preocupar com aquilo?
6. Teve um medo terrível de algo que os outros consideraram desproposital?
7. Achou que estava prestes a morrer e teve palpitações, fraqueza e suores?
8. Sentiu-se deprimido e não conseguiu se recuperar?

RESPOSTAS E INTERPRETAÇÕES

Se você respondeu "sim" às perguntas 2 e 5, então experimentou sintomas de ansiedade e provavelmente preocupa-se consideravelmente com o que as outras pessoas pensam. Cuide para que a sua ansiedade não controle a sua vida.

Se você respondeu "sim" às perguntas 1 e 6, então experimentou sintomas de fobia e pode ser capaz de evitar as causas delas, mas deve pensar sobre como lidar com essas causas no futuro.

Se você respondeu "sim" às perguntas 4 e 7, então experimentou sintomas de acessos de pânico e seria bom aprender a controlar os ritmos respiratórios. A respiração excessivamente superficial ou profunda é a causa de muitos sintomas de acessos de pânico.

Se você respondeu "sim" às perguntas 3 e 8, então experimentou sintomas depressivos. Pode ser que tenha vivido momentos difíceis no passado e precisa encontrar os motivos desses sentimentos.

Se você respondeu "não" a todas as perguntas, então tem a mente "sadia" e é capaz de contornar quaisquer pensamentos de ansiedade ou depressão antes que se aprofundem. Se respondeu "sim" à maioria das perguntas, seria bom procurar ajuda profissional e consultar um médico.

✪ Para melhorar

1. Se você sofre de fobias, consulte um especialista em terapia cognitiva comportamental que o ajude a corrigir a sua maneira de pensar e descobrir as razões por trás dos seus pensamentos de ansiedade e angústia.

2. Para manter o controle enquanto estiver se sentindo deprimido, estabeleça para si pequenas metas mas que possa alcançar durante o dia, como preparar uma refeição ou dar uma caminhada.

3. Adquira uma fita de relaxamento. Escolha uma situação sossegada, usando a fita para aprender a relaxar e controlar a respiração. Isso ajudará você a manter a mente sadia e evitar que se deixe dominar pela pressão exterior.

4. Para combater a depressão, pratique exercícios físicos regularmente, mantenha uma alimentação saudável e cultive boas amizades.

Você é capaz de pensar com clareza?

Você provavelmente mal se dá conta do diálogo interior que se processa no seu íntimo, aqueles pensamentos pessoais que passam pela sua cabeça. Eles são úteis para estabelecer o progresso, o desenvolvimento e o aprimoramento dentro de você. Se passarem despercebidos, podem ser psicologicamente corrosivos e prejudicar as suas possibilidades de sucesso. Você não precisa aceitar o monólogo interior como um presságio — a capacidade de acompanhar e enfrentar esses pensamentos faz parte da boa inteligência pessoal. Você não precisa acreditar nesses pensamentos; tente se concentrar e encontrar evidências para apoiá-los.

Todo mundo usa os pensamentos distorcidos ou errados em algum momento da vida: quem, por exemplo, nunca usou expressões como "Eu podia", ou "Eu devia", ou "Eu preciso"? Existem três tipos principais de pensamento errado: tudo-ou-nada, quando as coisas não são nem ótimas nem péssimas; sinto-logo-existo, quando sentir algo é considerado o mesmo que ser ("Eu me sinto um idiota, logo devo ser um idiota"); e a leitura mental, considerando que você sabe o que outra pessoa está pensando ("Eu sei que ela pensa que eu sou chato"). Conheça os seus defeitos e comece a se amar e a se defender de dentro para fora.

AVALIE O SEU MODO DE PENSAR

Você vai precisar de papel e caneta. Numa folha larga de papel desenhe uma tabela com quatro colunas. No cabeçalho das colunas escreva "acontecimentos", "emoções", "pensamentos" e "questionamentos" (veja o exemplo na página ao lado). Preencha a tabela usando dois acontecimentos emocionais importantes dos últimos meses na sua vida, que o tenham realmente incomodado ou aborrecido. Questionar os seus pensamentos pode ser difícil, então eis algumas perguntas para inspirar a sua análise interior:

- Eu quero que ele me ame.
(Como você sabe que ele não ama?)
- Estou com raiva. (De quem? Sobre o quê?)
- Minha mãe não me entende.
(O que especificamente ela não entende? Como você sabe?)

- Eu me sinto um idiota.
(Por quê? Como? Comparado a quem?)
- É impossível conversar com o meu gerente.
(O que aconteceria se você o fizesse? O que o impede de fazer isso?)

RESPOSTAS E INTERPRETAÇÕES

⭐ **Para melhorar**

Escolha um dos seus pressupostos distorcidos e tente provar que você está errado. Se acha que não tem sido um bom amigo, por exemplo, procure evidências para provar que está errado e planeje algumas atividades ou um tempo agradável na companhia dessa pessoa.

Se você foi capaz de questionar a maioria dos seus pensamentos negativos, mas achou difícil considerá-los com distanciamento, então tem um diálogo interior positivo médio. Tente ser mais consciente do seu diálogo interior e lembre-se de que o que você pensa nem sempre é verdadeiro.

Se você foi capaz de questionar todos os seus pensamentos de modo construtivo e reenquadrar o seu pensamento racionalmente, então tem um bom diálogo interior positivo. Agora que sabe como questionar os pensamentos distorcidos, procure continuar assim.

Se você raramente tem pensamentos negativos e em geral tenta pensar o melhor de si e dos outros, então tem um excelente diálogo interior positivo. Você treinou o diálogo interior para pensar positiva e realisticamente sobre as situações mais carregadas emocionalmente.

Acontecimentos	Emoções	Pensamentos	Questionamentos
• Uma amiga lhe deixa um recado na secretária eletrônica cancelando o almoço no último instante.	• Mágoa, tristeza, aborrecimento	• Ela recebeu um convite melhor. • Ela realmente não valoriza a nossa amizade. • Não sou uma boa companhia.	• Ela nunca cancelou antes e deve ter uma boa razão para isso. • Ela sempre se lembra de datas importantes, como o meu aniversário.

Qual é o seu temperamento natural?

Depois de estudar os sentimentos e os humores, os psicólogos descobriram que o temperamento é a nossa característica emocional mais profunda, refletindo os humores predominantes numa pessoa. Ele também oferece uma base para as emoções e influencia a maneira como interpretamos os acontecimentos e as nossas reações a eles. O temperamento é algo com que todos nascemos: pergunte a qualquer mãe sobre o temperamento do seu filho e ela vai lhe explicar com precisão e em detalhes.

Hipócrates, o pai da medicina grega, classificou os temperamentos segundo as categorias de fogo, ar, terra e água. Posteriormente, a medicina ocidental aperfeiçoou essa classificação dos temperamentos em colérico (fogo: impulsivo, excitável, dinâmico); sanguíneo (ar: sociável, cordial, maleável); melancólico (terra: reservado, circunspecto, sóbrio); e fleumático (água: cuidadoso, passivo, tranqüilo).

Jerome Kagan, um psicólogo da Harvard University, deu recentemente uma guinada nas pesquisas neuropsicológicas do temperamento ao propor quatro "novos" tipos de temperamento — otimista, ousado, melancólico e tímido. Aparentemente, cada tipo de temperamento é definido por uma atividade cerebral diferente e o temperamento pode ser sutilmente alterado — nem todos os bebês tímidos, por exemplo, tornam-se adultos tímidos. Com os recursos de uma inteligência pessoal altamente desenvolvida, é possível adaptar os estilos de educação para ajudar a formar crianças capazes de encarar o mundo com confiança.

AVALIE O SEU TEMPERAMENTO

Dentre as opções abaixo, escolha TRÊS afirmações que mais se apliquem a você.

1. Não me intimido ao conversar com pessoas estranhas ou em posição de autoridade.
2. Entre pessoas que não conheço bem, falo pouco, mesmo quando me dirigem a palavra.
3. A vida neste mundo é difícil e perigosa.
4. Sempre encontro algo divertido na maioria das situações.
5. Eu era uma criança tímida.
6. Sou geralmente bem-humorado e sociável.
7. Tenho dificuldade de me recuperar depois de um deslize inicial.
8. Adoro experimentar coisas que nunca fiz antes.

RESPOSTAS E INTERPRETAÇÕES

Se as afirmações 2 e 5 estiverem entre as suas 3 primeiras escolhidas — o seu temperamento é tímido, o seu elemento é a água e o seu humor é fleumático. Os seus pontos fortes são a sua solicitude, calma e perseverança. Os seus pontos fracos são a sua timidez e a aversão a mudanças.

Se as afirmações 1 e 8 estiverem entre as suas 3 primeiras escolhidas — o seu temperamento é ousado, o seu elemento é o ar e o seu humor é sanguíneo. Os seus pontos fortes são a sua sociabilidade, eloquência e cordialidade. Os seus pontos fracos são a sua falta de atenção aos detalhes e a impaciência.

Se as afirmações 4 e 6 estiverem entre as suas 3 primeiras escolhidas — o seu temperamento é otimista, o seu elemento é o fogo e o seu humor é colérico. Os seus pontos fortes são a sua energia, disposição e extroversão. Os seus pontos fracos são a sua intolerância e a violência.

Se as afirmações 3 e 7 estiverem entre as suas 3 primeiras escolhidas — o seu temperamento é melancólico, o seu elemento é a terra e o seu humor é sombrio. Os seus pontos fortes são o seu intelecto, sensatez e capacidade de observação. Os seus pontos fracos são o seu pessimismo e recato.

⭐ Para melhorar

1. Pense em trabalhos cujas características das funções se encaixem nos quatro tipos de temperamento. Procure considerar situações em que aparentemente as "más" características possam ser uma vantagem. Por exemplo, uma criança que não gosta de mudar pode ser menos influenciada pela pressão dos colegas e, quando adulta, tornar-se o candidato perfeito para um cargo com normas e regulamentos rígidos, como nas forças armadas ou no mundo dos negócios.

2. Peça aos seus pais ou avós para comentar sobre o seu temperamento quando criança. Compare as impressões deles com a sua opinião sobre si mesmo como adulto. Pergunte-lhes como acham que você mudou.

Sua inteligência pessoal

DEPOIS DE TER FEITO TODOS OS TESTES, você pode perfilar os seus resultados para obter uma visão global dos seus pontos fortes. Confira as respectivas escolhas relativas a cada um dos seus resultados.

• Se você marcou 5 ou mais vezes a coluna "Médio", a sua inteligência pessoal é satisfatória. Provavelmente, o seu coração é quem manda. Isso significa que você tende a reconhecer os seus sentimentos, mas acha difícil racionalizar e mantê-los sob controle.

• Se você marcou 5 ou mais vezes a coluna "Bom", ou tem uma pontuação distribuída por igual nas três categorias, a sua inteligência pessoal é boa. A sua mente e o seu coração geralmente atuam em harmonia, mas às vezes o seu coração tem a precedência. É provável que você tenha uma boa autoconsciência, mas às vezes age por instinto, em vez de planejar.

• Se você marcou 5 ou mais vezes a coluna "Excelente", a sua inteligência pessoal é superior. A sua mente e o seu coração se complementam. É provável que você seja uma pessoa feliz, bem-sucedida e com a mente em boa forma.

Procure lembrar-se do seu temperamento indicado pelas respostas aos testes um e três sobre as emoções subjetivas.

Desenvolvendo e aprimorando a sua inteligência pessoal

O aprendizado e o desenvolvimento da inteligência pessoal começam na infância e devem continuar por toda a vida. O que você está sentindo? Por que está sentindo isso? Pense a respeito dos seus sentimentos e tente identificar as suas causas, voltando atrás até onde for possível para chegar à origem. Se, como costuma ser o caso, houver mais alguém envolvido, coloque-se no lugar da pessoa. O que ele ou ela sentiram? Por que sentiram aquilo? Essa capacidade de lidar com as emoções é talvez a mais difícil de desenvolver, mas é essencial para o crescimento pessoal.

O que você poderia fazer para sentir-se melhor?

• Use a carga emocional dos sentimentos de raiva para sentir-se energizado, não lívido.

• Reconheça que tem escolhas na hora de agir. Considere antecipadamente como se sentiria perante cada decisão tomada e qual seria o seu resultado.

Se você tem uma inteligência pessoal de satisfatória a boa, já sabe que compreender as suas emoções beneficia a sua vida em todos os sentidos, mas às vezes é difícil pensar racionalmente no calor da hora. Tente criar um espaço entre o que sente e o que vai fazer a respeito. Distancie-se um pouco, mesmo que seja por alguns minutos, se sentir que está perdendo o controle. O seu objetivo deveria ser agir, em vez de reagir.

Se você tem uma inteligência pessoal superior, procure aplicar o seu conhecimento de si próprio aos seus relacionamentos com os outros, porque nem todo mundo tem o dom da inteligência pessoal. Sempre haverá pessoas com que você tem de trabalhar ou se relacionar que não têm o seu grau de percepção, portanto seja generoso e tome a iniciativa para o bem delas. Lembre-se de que uma discussão sempre requer a participação de duas pessoas.

Tratando com as crianças

As crianças nascem com pouca autoconsciência, mas aos poucos vão entendendo que nem tudo gira ao redor delas. O autocontrole e a compreensão das escolhas sobre como agir são lições fundamentais. Você pode encorajá-las nesse sentido:

- Conversando sobre o que provoca as emoções, especialmente a raiva. Examine os aspectos mais positivos da raiva: a assertividade, por exemplo, é uma técnica fundamental para neutralizar os aspectos negativos da ira.

AUTOCONSCIÊNCIA			
	Interiorizado	*Compreensivo*	*Autoconsciente*
Teste 1 (pp. 112-13)			
	Médio ✓	Bom ✓	Excelente ✓
Teste 2 (pp. 114-15)			
Teste 3 (pp. 116-17)			
AUTOCONTROLE			
	Médio ✓	Bom ✓	Excelente ✓
Teste 1 (pp. 118-19)			
	Pessimista	Combinação de ambos	Otimista
Teste 2 (pp. 120-21)			
	Médio ✓	Bom ✓	Excelente ✓
Teste 3 (pp. 122-23)			
EMOÇÕES SUBJETIVAS			
	Acessos de fobia/ depressão/pânico	Ansiedade generalizada	Mente "sadia"
Teste 1 (pp. 124-25)			
	Médio ✓	Bom ✓	Excelente ✓
Teste 2 (pp. 126-27)			
Teste 3 (pp. 128-29)			

6

INTELIGÊNCIA

FÍSICA

O que é inteligência física?

De acordo com Howard Gardner em *Frames of Mind: The Theory of Multiple Intelligences* (1983), uma pessoa é capaz de ter uma inteligência física igual às suas faculdades lingüísticas e numéricas. A inteligência física representa até que ponto temos controle sobre o nosso corpo e transformamos o nosso ambiente próximo. Ela está ligada a um controle interno dos movimentos do corpo e a um controle externo dos objetos do corpo. Todos os animais e pássaros exibem essa última — pense num guepardo correndo, num golfinho saltando fora da água ou numa águia planando. A capacidade desses animais, contudo, é encontrada em forma limitada apenas entre certos primatas: os chimpanzés, por exemplo, usam bastões para alcançar cupins ou quebrar nozes contra rochas. Os seres humanos são a exceção, uma vez que continuaram a se aprimorar com a invenção mental e o uso material de ferramentas cada vez mais diferentes e sofisticadas para executar uma série de tarefas.

Destreza manual
A inteligência física inclui o movimento de partes determinadas do corpo, como as mãos. Na medida em que estão envolvidos o controle das ações e de objetos externos, as mãos são da maior importância. A destreza manual divide-se em habilidades motoras de precisão (a capacidade de regular o aperto como o de um alicate entre o dedo da mão e o polegar para apanhar objetos minúsculos) e as habilidades motoras grosseiras (a capacidade de usar a mão como um punho ou segurar objetos maiores usando a palma da mão).

Coordenação
O cérebro e o corpo interagem constantemente, com o cérebro dirigindo os movimentos do corpo e o corpo retornando com informações para o cérebro sobre as suas ações e a sua posição. A boa coordenação pressupõe que ambos estejam atuando bem em conjunto e é fundamental para que os movimentos tenham êxito.

Equilíbrio
O cérebro e os músculos trabalham em conjunto para manter o corpo em equilíbrio, ou balanceado, e protegê-lo de quaisquer danos que possam ocorrer por alguma falha. Entre as ocupações que requerem um bom equilíbrio destacam-se a de trabalhadores em andaimes, ginastas e neurocirurgiões.

Reflexos
Quando a reação se acelera até chegar a um evento é mais importante que ser preciso, esse mecanismo de defesa é conhecido como reflexo. Agarrar uma criança que está prestes a cair, por exemplo, evoluiu como uma reação crítica a uma situação perigosa.

Flexibilidade
No sentido de executar atividades físicas usando a mais ampla série de movimentos você precisa de flexibilidade. Essa mobilidade nas suas articulações e músculos tende a diminuir e restringir-se com a idade, mas alongamentos regulares podem aliviar esse desconforto.

Por que a inteligência física é importante?

Reconhecer o controle do nosso corpo e dos movimentos físicos em geral como um tipo de inteligência pode parecer um tanto estranho a princípio. Tradicionalmente, as características mental e física foram consideradas separadamente. Os atributos mentais, tais como o raciocínio lógico, eram considerados como atributos mais especiais que físicos. O importante contra-argumento de Gardner propunha que o cérebro era já outra parte do corpo a ser dirigida e controlada. Um fator de inteligência é claramente presente quando transmite o movimento físico. Isso torna-se evidente pelos recordes cinestésicos atingidos pelos atletas mundiais assim como pela atividade de atores e dançarinos em dirigir ações, sentimentos ou movimentos apreendidos de outras pessoas.

Pessoas que são fisicamente inteligentes são hábeis em controlar o seu corpo em movimentos criativos como a dança ou interpretação, ofícios e esportes. Eles podem imitar os gestos de outras pessoas ou imitar maneirismos, apreciar tomar objetos separados e rejuntá-los, e tender a incomodar quando sentado por longos períodos de tempo. Os papéis profissionais que requerem inteligência física são os de construtores, encanadores, ilustradores, dançarinos, atores, esportistas, mecânicos, terapeutas corporais, carpinteiros, mestres de cozinha, cirurgiões e joalheiros.

Você é capaz de executar tarefas delicadas?

A DESTREZA MANUAL é a capacidade de controlar e usar as suas mãos. As tarefas motoras de precisão são aquelas atividades que envolvem movimentos precisos e delicados dos dedos de uma maneira coordenada. A cirurgia de precisão levou essa habilidade a novos níveis e é essencial a músicos de todos os tipos. Muitas atividades de lazer como a de modelagem, a costura e a pintura também usam os movimentos motores delicados.

Se o seu cérebro e as suas mãos interagem bem, você é rápido e mais preciso numa série de tarefas e trabalhos cotidianos, tanto no local de trabalho quanto em casa. As tarefas simples, como colocar abotoaduras, encontrar o botão certo numa caixa, folhear um relatório, usar o mouse de um computador ou até mesmo franzir as sobrancelhas, parecerão todas não requerer esforço.

A maioria das pessoas tem uma mão dominante, aquela que é escolhida subconscientemente para executar a maior parte das tarefas. Não existe um critério padronizado para medir destreza com as mãos, mas a maioria das pessoas são destras (entre 70-95%), a minoria é de canhotas (entre 5-30%) e um número desconhecido de pessoas é de ambidestras, com capacidade de usar ambas as mãos com a mesma destreza.

Os motivos para a destreza manual são desconhecidos. Há evidências que indicam que seja herdada, embora a inclinação para o uso de uma das mãos em relação à outra também pode ser influenciada e mudada com a prática.

DESTREZA MANUAL

AVALIE A SUA DESTREZA MANUAL

Você vai precisar de um cronômetro ou um relógio na outra mão. Marque o tempo da precisão e velocidade do seu desempenho.

Transferência de grãos de arroz

Separe 20 grãos de arroz e duas tigelinhas de tamanho igual. Coloque as tigelas de cada lado de você. Despeje o arroz numa tigela e marque o tempo que gasta para transferir cada grão de arroz, um de cada vez, da primeira para a segunda tigela. Repita com a outra mão.

Apertar porcas e parafusos

Escolha um parafuso de uns 5 centímetros e coloque 10 porcas correspondentes próximas a você. Marque o tempo que leva para parafusar cada porca até a cabeça do parafuso. Repita com a outra mão.

Qual foi o resultado deste teste com a sua mão mais usada? Houve uma diferença de tempo entre as duas mãos? Programe-se para praticar sempre a sua destreza manual.

RESPOSTAS E INTERPRETAÇÕES

Acima de 25 segundos — você tem uma destreza manual de precisão média, uma boa base para desenvolver essa capacidade. Você provavelmente considerou essas tarefas um pouco fúteis, então encontre um passatempo que lhe permita praticar a coordenação entre o seu indicador e o polegar.

Menos de 25 segundos — você tem uma excelente destreza manual de precisão e gosta de trabalhos detalhados e precisos, tanto profissionalmente quanto como um passatempo. Você usa os seus dedos de modo controlado para segurar vários instrumentos como uma caneta, uma faca ou uma agulha.

✪ Para melhorar

1. Movimente os dedos enquanto estiver assistindo à TV ou sentado à escrivaninha. Bata com cada dedo numa seqüência sobre o volante do automóvel ou sobre os joelhos. Pratique com as duas mãos. Consegue fazê-lo com as duas mãos ao mesmo tempo?

2. Faça atividades diárias tanto com a mão direita quanto com a esquerda. Você é capaz de abotoar a roupa ou fechar a porta com a outra mão? Observe a diferença entre as mãos ao realizar as tarefas e veja se, com o tempo, essa diferença diminui.

Você consegue usar a sua força manual?

A DESTREZA MANUAL também envolve a capacidade de desempenhar movimentos robustos (grosseiros) com as mãos. As tarefas motoras grosseiras como usar um martelo ou atirar uma bola baseiam-se mais na força e empregam a mão inteira. Enquanto a precisão não é necessária no mesmo grau como nas tarefas motoras de precisão, as pessoas com uma boa destreza manual grosseira conseguem uma precisão incrível — como um jogador de golfe acertando um buraco na primeira tacada.

As habilidades motoras grosseiras são importantes para o bom desenvolvimento porque elas ativam os movimentos dos músculos grandes usados para correr, saltar, escalar e atirar. As crianças com boas habilidades motoras grosseiras têm uma postura e um equilíbrio sólidos e controlam o corpo de maneira confiante. As habilidades manuais motoras grosseiras bem desenvolvidas são importantes para toda uma série de atividades, seja as de resultados criativos como a pintura ou modelagem, aprendizado científico utilizando materiais construtivos, seja as tarefas musicais como tocar bateria ou címbalos.

Usamos as nossas mãos diariamente para executar tarefas motoras grosseiras: abrir a torneira para tomar banho, vestir uma camisa, despejar leite sobre os cereais, dirigir e assim por diante. Muitas atividades de lazer como os esportes com raquetes, carpintaria, panificação e jardinagem baseiam-se em movimentos manuais robustos. Entre as profissões que aplicam essas habilidades incluem-se a terapia física, cenaristas e engenheiros de produção. Melhorar a sua destreza manual grosseira ajuda a aumentar a fluidez e eficácia dos seus movimentos manuais.

AVALIE A SUA CAPACIDADE

Lanços de ioiô
Você vai precisar de um ioiô.
Segure um ioiô com a sua mão de costume. Enfie o dedo pelo anel do cordão. Solte o ioiô da palma da mão, movimente o pulso e dê impulso ao ioiô. Recupere o ioiô quando ele retornar.
Repita 10 vezes.

Rebater a bola
Você vai precisar de um parceiro, um bastão e uma bola.
Posicione-se a cerca de 4 metros de distância. O seu parceiro atira-lhe a bola à altura das suas mãos. Rebata a bola com o bastão. Não aplique força em excesso — basta atingir a bola. Repita 10 vezes.

RESPOSTAS E INTERPRETAÇÕES

Até 8 lanços ou rebatidas — a sua destreza manual grosseira é média e você provavelmente gosta de usar as mãos tanto em tarefas delicadas quanto robustas. Desenvolva a sua capacidade de controlar a palma da mão e o punho em esportes ou passatempos como o beisebol ou o tênis.

9 ou mais lanços ou rebatidas — a sua destreza manual grosseira é excelente e você provavelmente se sai muito bem em esportes e tarefas de artesanato. É capaz de controlar a palma da mão e o punho com muita precisão, o que lhe permite manipular objetos maiores como uma bola, uma furadeira ou uma pá.

✪ Para melhorar

1. Observe quantos instrumentos tem de manipular ao longo de um dia: chaves, telefones, fechaduras de portas, moedas, canetas, teclados de computador e assim por diante. Divida esses objetos em duas categorias — os que requerem em geral habilidades manuais grosseiras ou de precisão. Você tem a tendência a preferir um tipo de destreza manual em lugar do outro?

2. Adquira uma bola de massagem e fique apertando-a embaixo da escrivaninha, em casa ou no trabalho. Isso vai fortalecer os músculos das suas mãos e também aliviar a tensão.

3. A destreza manual é ainda mais acentuada com habilidades motoras grosseiras que com as de precisão. Várias vezes, experimente escovar o cabelo, escovar os dentes ou discar o telefone com a mão não-dominante.

É boa a sua coordenação entre mãos e olhos?

A COORDENAÇÃO ENTRE AS MÃOS E OS OLHOS é a capacidade de usar os olhos para guiar os movimentos das mãos. Ela se desenvolve no primeiro ano de vida e continua a ser aperfeiçoada e melhorada ao longo da vida adulta. Escrever, cortar e costurar requerem uma coordenação mãos-olhos precisa, assim como nas tarefas de manufatura e tecnologia da computação. As atividades de lazer como a coleção de selos, bordado e jogo de cartas também usam a coordenação entre mãos e olhos — trabalhar com as mãos permite-nos distanciarmo-nos do ambiente virtual da tecnologia moderna.

Uma manifestação especializada desse tipo de coordenação é a linguagem dos sinais — um sistema de comunicação por gestos com as mãos que é interpretado visualmente. Embora normalmente associado com a comunidade de surdos, os índios americanos do século XIX, divididos por diferentes dialetos falados, usavam a linguagem dos sinais para suprir a lacuna da comunicação.

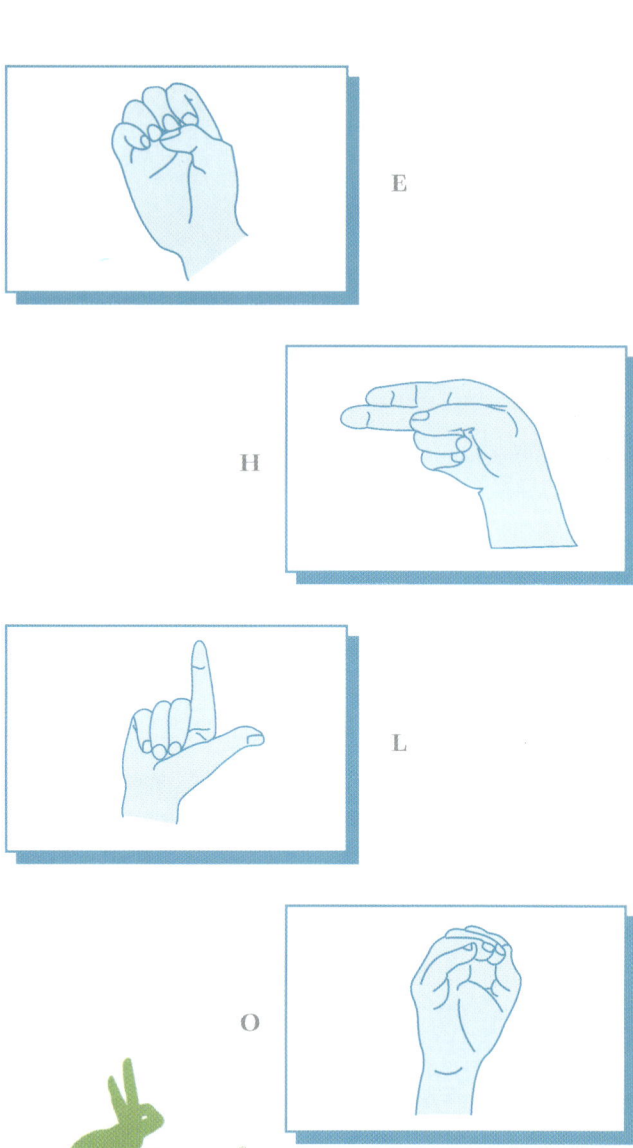

E

H

L

O

CÃO

PERU

COELHO

AVALIE A SUA CAPACIDADE

Soletrar por sinais
Usando o alfabeto dos sinais para as letras "h", "e", "l" e "o", soletre a palavra "olhe" (*página ao lado*). Pratique em frente ao espelho até dominar os movimentos.

Imagens de sombras
Pratique essas formas de animais no escuro, segurando as mãos conforme indicado (*página ao lado*). Então acenda a luz sobre a parede por trás das mãos para revelar as formas de sombras.

RESPOSTAS E INTERPRETAÇÕES

Se você foi capaz de fazer a maioria das formas, então tem uma coordenação mãos-olhos média e pode ter achado difícil fazer com que os olhos, o cérebro e as mãos atuassem em conjunto. Desenvolva o controle das mãos-olhos tocando um instrumento ou praticando jardinagem.

Se você foi capaz de reproduzir todas as formas com facilidade, então tem uma coordenação mãos-olhos excelente e é capaz de reproduzir uma atividade manual com o olho da mente. É provável que seja capaz de executar qualquer tarefa manual com habilidade e graça.

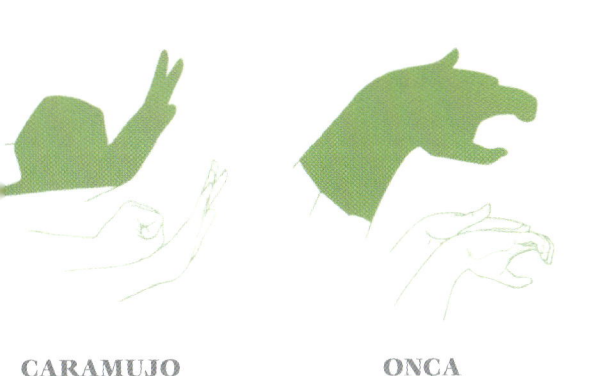

CARAMUJO

ONÇA

✪ **Para melhorar**

1. Tome nota de 20 números de telefone de seis algarismos. Pratique a discagem desses números rapidamente num aparelho de telefone.

2. Pratique um jogo com moedas e clipes de papel. Gire uma moeda — até ela cair, você tem de pegar o máximo de clipes possível, um de cada vez.

3. Se não sabe datilografar, aprender vai mudar a velocidade com que você acessa as informações na tela do computador ou ao se comunicar por escrito. Sente-se diante do teclado e digite a seguinte frase olhando para a tela e sem olhar para o teclado: "O rato roeu a roupa do rei de Roma." Aos poucos, vá aumentando a velocidade à medida que consegue não errar.

Você é capaz de coordenar os seus movimentos?

QUASE TODOS OS ANIMAIS, das aranhas aos seres humanos, têm a capacidade de executar um desempenho motor coordenado. A sobrevivência depende dessa capacidade.

O termo coordenação é usado para significar dois ou mais componentes funcionando em harmonia para atingir um padrão de movimento desejado. Considere a ação de caminhar. Isso pode ser considerado em termos dos seus braços e pernas movendo-se de maneira coordenada enquanto você anda. Em um nível mais detalhado, os grupos musculares isolados dos seus braços e pernas funcionam de maneira sinérgica para suavizar o movimento.

No nível microscópico, o sistema nervoso retransmite informações do seu cérebro para os músculos dos seus braços e pernas. Uma compreensão do corpo e como ele funciona em relação a si mesmo, outros objetos e às pessoas é conhecido como coordenação motora. É parcialmente uma função das ligações do seu cérebro, mas você pode melhorar a sua capacidade bruta pela prática. As pessoas que têm esse talento são capazes de usar todo o corpo para expressar sentimentos ou idéias, e as que ganham a vida fazendo isso são os atletas, artistas de circo, dançarinos e atores.

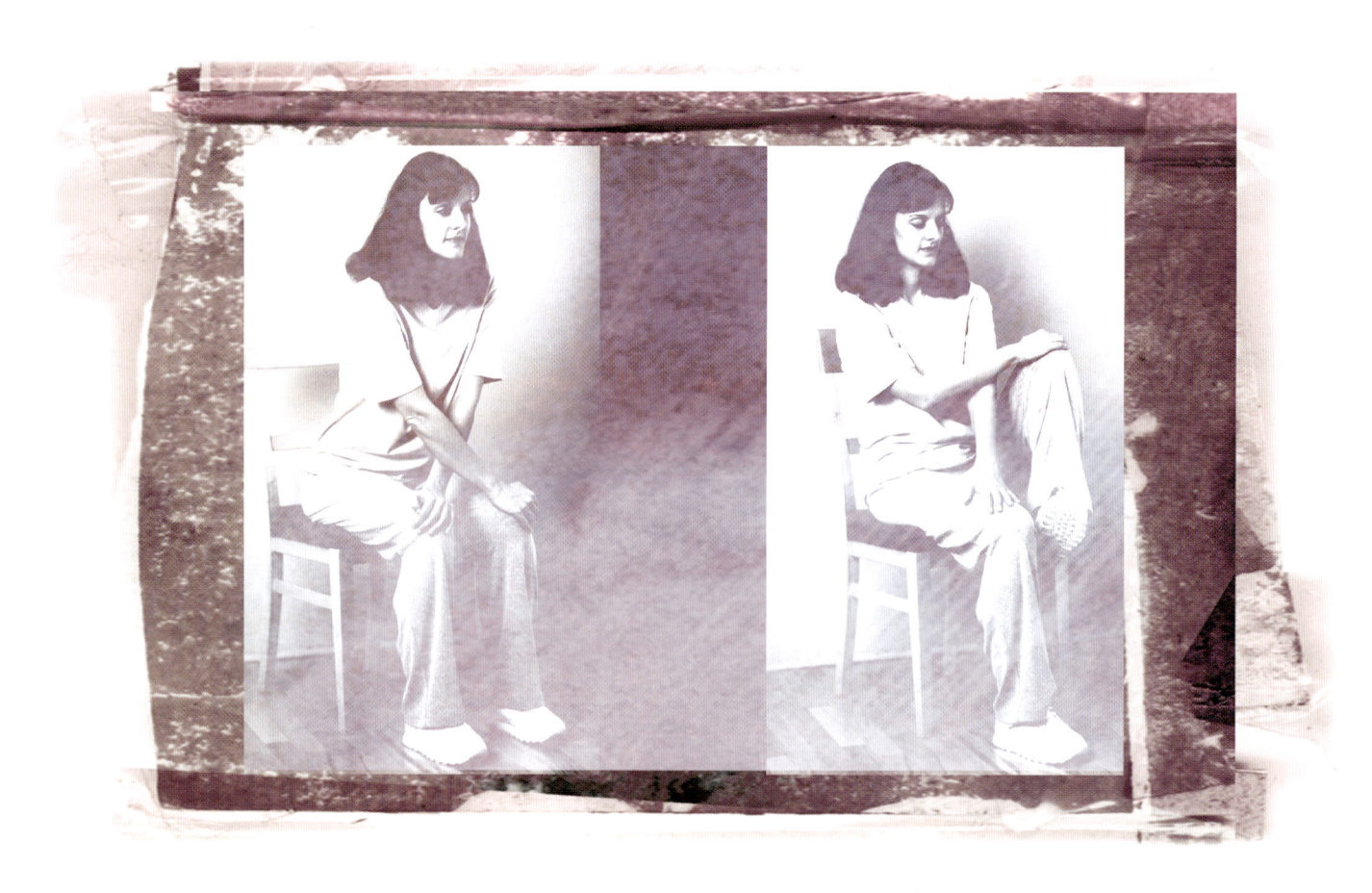

AVALIE A SUA CAPACIDADE

Mãos cruzadas
Sente-se numa cadeira com os pés plantados no chão à sua frente. Cruze as mãos de modo que a direita repouse sobre o joelho esquerdo e a esquerda sobre o joelho direito. Feche os olhos. Mantendo as mãos cruzadas, levante o pé direito até tocar com ele a mão direita. Repita 10 vezes. Marque o número de vezes que errou, confundiu-se ou hesitou nos movimentos.

Pegar a bola
Você vai precisar de um parceiro e de uma bola pequena.

Peça ao parceiro para atirar a bola nos seus lados, longe o suficiente de você para que mova a parte superior do corpo para pegá-la. Repita 10 vezes no lado esquerdo ou direito, ao acaso. Marque o número de vezes que você se moveu na direção errada ou deixou de pegar a bola.

RESPOSTAS E INTERPRETAÇÕES

Se você cometeu mais de 2 erros — a sua coordenação motora é média. Você pode ter-se sentido desajeitado e esforçou-se para controlar o corpo todo para fazer um só movimento. Desenvolva essa habilidade praticando exercícios ou fazendo ginástica.

Se você cometeu menos de 2 erros — a sua coordenação motora é excelente e você provavelmente gosta de praticar esportes, porque é capaz de se movimentar com graça da maneira que quiser e tem menos probabilidade de se expor a uma lesão corporal.

⭐ Para melhorar

1. Tome nota do nome de 10 partes do corpo, como "cotovelo", "queixo" e "joelho", em pedaços de papel separados. Dobre cada papelzinho e faça uma pilha com eles. Escreva "esquerdo" e "direito" em outros papeizinhos, dobre cada um e forme uma segunda pilha. Então escolha quatro papéis ao acaso, dois de cada pilha. Faça as partes do corpo indicadas pela combinação dos papéis se tocarem, por exemplo: no caso de "direito", "joelho", "esquerdo" e "ombro", o seu joelho esquerdo deve tocar o ombro esquerdo. Em tempo: algumas combinações podem ser impossíveis de realizar!
2. Tente fazer acrobacias com três bolas ou laranjas. Observe por quanto tempo consegue mantê-las no ar antes de caírem ou você se atrapalhar.
3. Faça uma caminhada e evite pisar nas rachaduras ou emendas das calçadas. Caminhe discretamente, de modo que ninguém perceba o que está fazendo.

Você consegue equilibrar objetos?

O EQUILÍBRIO PODE SER DEFINIDO como a capacidade do corpo de manter a postura. Ele envolve a coordenação do centro de gravidade do corpo com qualquer outra parte que esteja em contato com o chão enquanto você se ajoelha, senta-se ou fica de pé. O seu centro de gravidade muda a cada mudança de posição.

Permanecer estável é mais difícil quando você tem de equilibrar uma carga que se move, ainda que o cérebro ajuste automaticamente as mudanças enquanto caminhamos, saltamos ou corremos. Quando seguramos ou posicionamos um objeto, o cérebro tem de reajustar as informações sobre a tensão muscular e agir rápido e com precisão. Se você estiver carregando uma caixa pesada, no mesmo instante o seu cérebro irá identificar que o seu corpo está se esforçando para manter o equilíbrio enquanto anda. Isso pode ser cansativo e é uma causa bem conhecida de lesões musculares.

Aprender a mudar o centro de gravidade do corpo deliberadamente é um bom exercício para melhorar o seu senso de equilíbrio. Embora o seu corpo sempre precise se reajustar enquanto você anda, alguns tipos de exercícios, como os do método de Pilates (ginástica que mistura alongamento, yoga, exercícios localizados e um toque de filosofias orientais), ajudam a suavizar essas mudanças por meio de movimentos controlados do centro de gravidade.

AVALIE A SUA CAPACIDADE

Bater bola
Você vai precisar de uma bola do tipo de futebol, bem cheia.

De pé, bata a bola com um joelho por 10 vezes consecutivas sem usar as mãos para pegá-la ou controlá-la. Marque quantas vezes precisou usar a mão para controlar a bola.

Equilibrar um livro
Você vai precisar de uma fita adesiva colorida, um piso uniforme e um livro de capa dura.

Com a fita, marque uma linha reta no piso. Posicione-se no início da linha com o livro equilibrado sobre a cabeça. Dê 5 passos, dê meia-volta, dê outros 5 passos. Retorne. Marque as vezes que precisou usar a mão para não deixar o livro cair.

RESPOSTAS E INTERPRETAÇÕES

Se alguma vez você precisou usar as mãos, então a sua capacidade de equilibrar objetos é média e você provavelmente tem dificuldade para controlar objetos que não esteja segurando com firmeza. Desenvolver o equilíbrio físico como um todo ajuda a melhorar essa capacidade.

Se você não usou as mãos nenhuma vez, então a sua capacidade de equilibrar e controlar objetos é excelente. Você provavelmente não tem a menor dificuldade de equilibrar ferramentas de jardinagem no ombro ou uma pilha de pastas nos braços.

⭐ Para melhorar

1. Usando a linha que marcou no chão para o teste do livro, dê 10 passos encostando os dedos de um pé no calcanhar do outro, dê meia-volta, girando sobre a bola do pé, e depois dê mais 10 passos de volta. Pratique até ser capaz de concluir o exercício sem perder o equilíbrio. Também experimente fazer o mesmo na ponta dos pés ou saltando com uma perna só.

2. Desafie o seu senso de equilíbrio eliminando algumas pistas que o seu cérebro recebe de outras partes do corpo. Equilibre uma taça de vidro na palma da mão com os olhos fechados ou uma revista sobre a cabeça com os braços cruzados nas costas.

Você é capaz de equilibrar o corpo?

Regular o centro de gravidade do corpo para acompanhar os seus movimentos é conhecido como equilíbrio físico ou motor. Com ele você é capaz de se colocar e se manter numa posição ou realizar alguma atividade. Isso é preciso quando estamos em contato com o chão ou usando um substituto — andando de bicicleta, caminhando sobre uma prancha, mergulhando de um trampolim ou saltando.

Montar qualquer tipo de estrutura requer uma base sólida que vai resistir a mudanças nas condições físicas. Assim como a sua base de aptidão física, o equilíbrio não é uma exceção e pode ser classificado em equilíbrio estático (manter uma posição) e equilíbrio dinâmico (permanecer estável em movimento). Até mesmo mudanças sutis na superfície do terreno requerem ajustes musculares consideráveis e constantes dentro das articulações: pense na clássica imagem da torção de tornozelo. Uma deterioração ou um enfraquecimento no equilíbrio pode aumentar o risco de uma entorse e distensão em atletas tanto amadores quanto profissionais. Melhorar o desequilíbrio mantém o cérebro e o corpo em sintonia entre si e previne as indesejáveis lesões.

A "torre de controle" da capacidade de equilíbrio do corpo reside em três minúsculos tubos cheios de fluido no ouvido interno. Qualquer movimento desse fluido envia informações sobre o equilíbrio ao cérebro e cada tubo é posicionado em um ângulo diferente em relação aos outros, de modo a acompanharem juntos a gravidade, a aceleração, os movimentos e o posicionamento da cabeça. Os transtornos do equilíbrio, como as vertigens, são causados quando o ouvido interno informa erroneamente o cérebro de que a cabeça está girando.

AVALIE A SUA CAPACIDADE

Equilíbrio dinâmico
Você vai precisar encontrar uma certa extensão de meio-fio reto e plano.

Equilibre-se sobre a perna esquerda em cima do meio-fio. Dê 10 pulinhos para a frente. Dê meia-volta. Dê 10 pulinhos de volta sobre a perna direita. Marque as vezes em que perdeu o equilíbrio ou tocou a sarjeta com o pé. O exercício também pode ser feito sobre uma prancha de madeira de 1,8 metro de comprimento, a uns 30 cm do chão numa extremidade e 15 cm na outra.

Equilíbrio estático
Você vai precisar de 2 bolas de tênis.

Coloque uma bola de tênis embaixo de cada pé e equilibre-se, de modo que nem os seus dedos nem os calcanhares toquem o chão. Mantenha a posição por 20 segundos. Marque o número de vezes que alguma parte dos seus pés tocaram o chão.

RESPOSTAS E INTERPRETAÇÕES

Se o seu pé tocou o chão 2 vezes ou mais — o seu equilíbrio físico é médio e você pode ter se esforçado para manter o equilíbrio sem agitar os braços. Praticar as posturas equilibradas força o seu corpo a se centrar em vez de depender dos seus braços.

Se o seu pé tocou o chão 2 vezes ou menos — o seu equilíbrio físico é excelente e você consegue se deslocar com confiança e precisão. Você provavelmente não teve de usar muito os braços para se equilibrar porque o seu corpo é centrado e forte.

⭐ Para melhorar

1. Vá a um parque e tente caminhar por alguns minutos por superfícies planas e irregulares. Tente parar ou saltar sobre uma perna só. Compare o seu desempenho em cada exercício. Pratique bastante até alcançar um bom domínio em ambas as superfícies.

2. Experimente caminhar com apenas um sapato calçado. No início vai se sentir sem muito equilíbrio, mas logo o seu corpo vai se acostumar.

Você reage rapidamente?

Um movimento rápido em face de um estímulo causa um tempo de resposta ou reação conhecido como reflexo. Os movimentos reflexos podem envolver o corpo inteiro, como ao correr de uma ameaça, ou partes do corpo, como quando você afasta repentinamente a mão ao tocar uma superfície quente. Os reflexos desenvolveram-se como um método evolucionário de escapar a situações de perigo imediato como as de ataques de animais ferozes. Hoje em dia, estamos protegidos contra a maioria de ameaças materiais, mas dirigir ou andar num automóvel, um caminhão ou motocicleta ainda representam um perigo comum e cotidiano. Se estivermos a ponto de atingir ou ser atingidos por um veículo, por exemplo, usaremos os nossos reflexos para escapar da colisão ou minimizar as conseqüências.

Um setor que tem sido bem documentado em busca de maior segurança em veículos é o dos tempos de reação dos condutores desses veículos. Há diversas categorias e exemplos incluindo o tempo de reação simples (o tempo que leva para você frear se uma criança cruza a sua frente, por exemplo); o tempo de reação discriminado (o tempo que leva para você reagir se uma criança cruza a sua frente contra o tempo que leva para você reagir se um pedaço de papel cai acidentalmente sobre a rua); e o tempo de reação opcional (o tempo que leva para você decidir frear dependendo de ser uma criança ou uma bola que cruze a frente do veículo). Quando o motorista pára o veículo subitamente, mais da metade da distância de freada se deve ao tempo de reação do motorista, e não da mecânica do veículo. Aumente o seu tempo de reação reflexa e aumente a sua segurança tanto como motorista quanto como pedestre.

TESTE A SUA CAPACIDADE

Reflexo de pegar
Você vai precisar de uma régua de 30 cm e de um parceiro.

O seu parceiro segura a régua verticalmente (na altura do número 30, no alto). Posicione os dedos indicador e polegar de cada lado da base da régua, sem tocá-la. O seu parceiro deixa cair a régua sem aviso e você precisa pegá-la o mais rápido que puder. Marque o número médio de centímetros que passaram pelos seus dedos antes de você segurar a régua. Repita 3 vezes.

Reflexo de lançar
Você vai precisar de um parceiro e de uma bola de futebol.

Fique a uns 4 metros de distância do parceiro, de frente para ele. Peça-lhe que atire a bola. Bata palmas antes de pegar a bola. Repita 10 vezes.

RESPOSTAS E INTERPRETAÇÕES

Se a régua caiu 15 cm ou mais, ou você deixou cair a bola — a sua reação reflexa é média e você provavelmente achou difícil reagir com a rapidez necessária. Se a sua concentração melhorar, as suas reações serão mais rápidas.

Se a régua caiu 15 cm ou menos, ou você pegou todas as bolas — a sua reação reflexa é excelente, o que é fundamental em situações de risco. Você provavelmente também apresenta ótimos resultados em esportes com raquetes, como o tênis, ou no beisebol.

✪ Para melhorar

1. Digite *"reaction time"* ("tempo de reação") em qualquer mecanismo de busca da Internet para encontrar uma série de páginas em que poderá testar os seus reflexos *online,* clicando com o mouse a um estímulo quando a tela muda de cor. O seu tempo de reação é acompanhado e registrado.

2. Faça uma lista de situações que você acha que se beneficiariam de um aumento do seu tempo de reação, como atender ao telefone ou pegar um objeto em queda antes que ele se quebre. Escolha uma tarefa e pratique com ela.

Você consegue desafiar os seus reflexos?

REFLEXOS, TEMPOS DE REAÇÃO e respostas rápidas envolvem aspectos mentais, corporais, inatos e aprendidos. O cérebro processa uma sensação ou um estímulo e então escolhe uma resposta. O movimento se inicia quando os músculos executam as ações necessárias. Todos nascemos com capacidades neuromusculares inerentes. Embora existam diferenças individuais, todo mundo pode aprender a melhorar o seu tempo de reação.

A idade afeta o tempo de reação. Da infância até quase os 30 anos de idade, os tempos de reação reflexa são melhores, depois decrescem paulatinamente na casa dos 50 e 60 anos de idade, declinando rapidamente dos 70 em diante. Pesquisas demonstram que os homens são mais rápidos que as mulheres e que essa diferença entre os sexos não diminui com a prática. O seu tempo de reação será considerado melhor se você for avisado de que precisará ter uma reação a qualquer momento. Do mesmo modo, você tenderá a ser mais lento se cometer um erro, não ao repeti-lo. A boa forma também é uma questão fundamental.

As vantagens de ter reflexos rápidos são dobradas: proteger tanto a si mesmo quanto aos outros e melhorar o desempenho global nos esportes. Exemplos desse último incluem apagar um princípio de incêndio na cozinha, pegar um bebê antes que ele caia ou correr depressa e com agilidade antes que um objeto em queda atinja você.

COPOS DESCARTÁVEIS

4 metros

TESTE OS SEUS REFLEXOS

Corrida contra o relógio
Você vai precisar de um parceiro, um cronômetro ou relógio com ponteiros de segundos e 12 copos descartáveis ou marcadores para o chão. Cronometre a velocidade e precisão do seu desempenho.

Usando os copos, marque os números na forma de um "mostrador de relógio" de 4 metros de diâmetro. Posicione-se no centro — peça ao seu parceiro para disparar o cronômetro e dizer um número ao acaso de um a 12. Assim que ouvir o

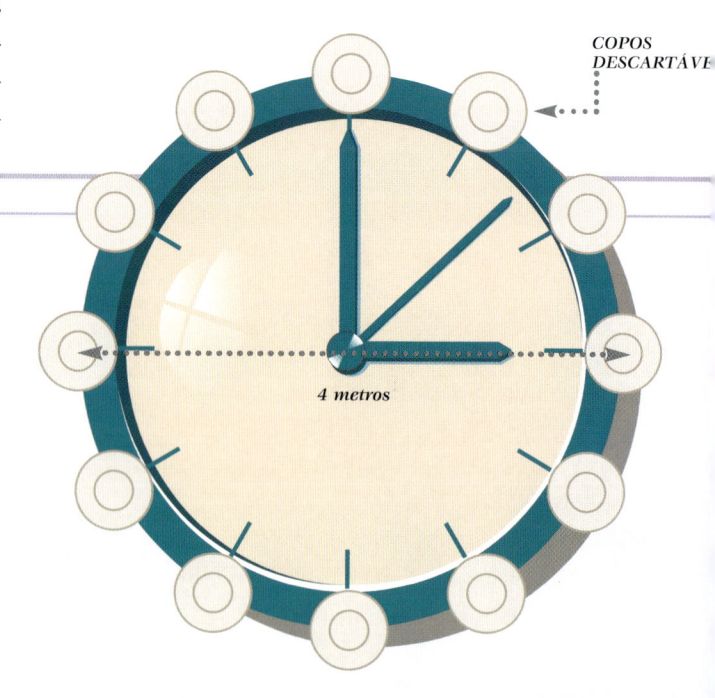

REFLEXOS 151

⭐ Para melhorar

1. Jogue um objeto pequeno como uma bola ou uma caneta de uma mão para a outra, de lá para cá, segurando-o a cada vez.

2. Marque o seu tempo em situações cotidianas: quanto tempo leva para ir da sua mesa à calçada do prédio onde trabalha; do banheiro ao quarto; da entrada do metrô à plataforma de embarque. A vontade de melhorar o seu tempo ajudará você a aprimorar os seus reflexos.

RESPOSTAS E INTERPRETAÇÕES

Se você concluiu as duas tarefas em mais de 45 segundos — os seus reflexos são médios e você pode ter dificuldade para pôr o seu corpo em ação com rapidez e precisão. Desenvolva os seus reflexos preparando o corpo para a ação — a maioria das reações reflexas é psicológica.

Se você concluiu as duas tarefas em menos de 45 segundos — os seus reflexos são excelentes e você tem o dom de ser capaz de coordenar o seu corpo como um todo para reagir rapidamente. Isso é essencial em esportes cronometrados, como atletismo e corridas de veículos, e será um elemento vital se você tiver de fugir às pressas de uma situação perigosa.

---

número, corra para ele e depois volte à posição de partida. O seu parceiro deve dizer um segundo número imediatamente após você chegar ao centro do "relógio". Repita o exercício até que todos os números de um a 12 tenham sido chamados. Marque o tempo total.

Batendo bola

Você vai precisar de um parceiro, de um cronômetro ou um relógio com ponteiro de segundos, duas bolas de tamanho diferente e fita adesiva.

Prenda as duas bolas com a fita adesiva, de modo que fiquem bem presas. Fique a 4 metros de distância do seu parceiro e peça-lhe para jogar as bolas no chão em sua direção. As bolas vão saltar em uma direção e uma altura imprevisíveis. Alcance as bolas e atire-as de volta ao parceiro. Repita 10 vezes, cronometrando a sua velocidade e precisão.

Você é flexível?

FLEXIBILIDADE, MOBILIDADE E MALEABILIDADE são termos usados para explicar o grau de mobilidade dos membros em torno das articulações. Executar uma ação comum por meio de uma série de movimentos envolve dois tipos de músculos — o agonista (que causa o movimento) e o antagonista (que se opõe ao movimento). Esses dois grupos determinam a quantidade de mobilidade possível.

À medida que atuam, os músculos perdem a elasticidade, portanto o alongamento regular é fundamental para manter a flexibilidade, aumentar o bem-estar e prevenir lesões durante a atividade cotidiana. Para as pessoas que gostam de esportes, essa pode ser a diferença entre ganhar ou perder, e o alongamento antes e depois dos exercícios é recomendado a todos os praticantes de atividades físicas.

Os músculos sustentam o esqueleto e também protegem as articulações. A intervenção deles mantém o equilíbrio necessário entre proteção e movimento. Se as articulações tornarem-se hipermóveis (superalongadas), podem correr o risco de lesão. Contrariamente, se as articulações estiverem hipomóveis (subalongadas), o seu movimento é limitado e pode até mesmo ser doloroso. A boa flexibilidade e o alongamento regular ajudam você a movimentar-se bem e em segurança em todas as atividades da vida.

Tanto o método de Pilates quanto a yoga são excelentes para aumentar a flexibilidade por meio de alongamento e relaxamento. Muitas pessoas com vida estressante adotam as propriedades terapêuticas dessas modalidades de ginástica.

AVALIE A SUA FLEXIBILIDADE

Levantamento de perna

Etapa 1 Deite-se de costas. Levante a perna direita o máximo que puder e erga ligeiramente a perna esquerda do chão. Com o queixo encostado no peito, tente alcançar os tornozelos e dedos dos pés.

Etapa 2 Mude de perna num movimento de "tesoura", sem abaixar os braços.

⭐ Para melhorar

1. Reserve um momento para alongar o corpo na sua escrivaninha de trabalho ou enquanto assiste à TV em casa. Alongue o pescoço, os ombros, o peito, os braços, as costas, os quadris e as pernas. Faça dos exercícios uma rotina e numa seqüência em que alonga, relaxa e depois força um pouco mais o corpo. Pode parecer um pouco desconfortável no início, mas pare se sentir alguma dor.

2. Pratique a respiração profunda. Inspire profundamente até que os pulmões estejam cheios de ar. Prenda a respiração por 5 segundos. Expire devagar. Repita até sentir o corpo bem relaxado.

RESPOSTAS E INTERPRETAÇÕES

Se você foi capaz de fazer esses alongamentos, mas precisou de alguma prática para concluí-los com facilidade — a sua flexibilidade é média e você pode simplesmente não ter-se relaxado o suficiente para atingir os alongamentos. Um componente essencial da flexibilidade é a capacidade de relaxar.

Se você foi capaz de concluir esses alongamentos, alcançando os tornozelos e dedos dos pés — a sua flexibilidade é excelente e você foi capaz de relaxar completamente todas as vezes nos alongamentos. Exija um pouco mais de si de cada vez e conseguirá aumentar a sua flexibilidade.

Etapa 1
Etapa 2
Etapa 3

Alongamento em "V"

Etapa 1 Sente-se com os braços estendidos lateralmente à altura dos ombros, as pernas abertas à sua frente.
Etapa 2 Estenda uma das mãos na direção do dedo mínimo do pé oposto.
Etapa 3 Repita do outro lado, mantendo a cabeça em posição neutra.

Você pode melhorar a sua flexibilidade?

Os MOVIMENTOS FLUIDOS de músculos e articulações são essenciais tanto para as disciplinas corporais quanto mentais. Joseph Pilates (1881-1967), um fisiologista alemão, desenvolveu uma série de exercícios controlados, criados para ser repetidos e executados em seqüência como um auxílio para promover a recuperação de dançarinos contundidos. Um dos maiores benefícios do método de Pilates é o aumento da flexibilidade, especialmente importante depois de um dia sedentário em frente à escrivaninha ou ao volante do automóvel.

A yoga, um método corporal e mental, tenta congregar o corpo e a mente por meio de uma série de posturas corporais e técnicas respiratórias. Existem muitas formas de yoga, mas os seus elementos fundamentais compreendem sempre uma seqüência de posturas conjugadas a técnicas respiratórias e de relaxamento, todas elas usando movimentos de alongamento para atingir a flexibilidade.

AVALIE A SUA FLEXIBILIDADE

Postura de Pilates

Etapa 1 Estique as pernas à frente do corpo. Abra-as ligeiramente na largura dos quadris. Flexione os pés. Estique e levante os braços à altura dos ombros. Contraia os quadris e levante o corpo sobre os quadris enquanto respira. Sente-se com as costas retas.

Etapa 2 Contraia o queixo contra o peito e puxe com firmeza o umbigo na direção da espinha, enquanto estende os braços à frente do corpo. O seu corpo deve formar uma curva em "C" desde o alto da sua cabeça até a extremidade do cóccix. Solte a respiração. Retorne à posição inicial, até sentar-se com as costas retas.

FLEXIBILIDADE   155

Para melhorar

1. Toda vez que se sentar, em casa e no trabalho, procure não comprimir os músculos curvando-se em excesso sobre a escrivaninha ou afundando no sofá. Lembre-se de manter as costas retas e o corpo "estendido" para impedir a tensão desnecessária. A posição relaxada do corpo ajuda a manter a flexibilidade.

2. Habitue-se a fazer um alongamento de corpo inteiro ao acordar. Com o corpo deitado na cama, levante os braços acima da cabeça e estique os pés. Imagine o corpo puxado pelos dedos das mãos e dos pés. Mantenha a posição por 5 segundos. Relaxe.

RESPOSTAS E INTERPRETAÇÕES

Se você foi capaz de fazer esses alongamentos, mas precisa de alguma prática ainda para concluí-los com facilidade — a sua flexibilidade é média. Quanto mais flexível você se torna, menos se arrisca a sofrer lesões como uma distensão.

Se você foi capaz de executar esses alongamentos alcançando os tornozelos e dedos dos pés — a sua flexibilidade é excelente. Você tanto alonga regularmente como parte da sua rotina como tem as juntas bem flexíveis. A flexibilidade é fundamental para proteger o seu corpo de entorses.

Postura de yoga

Etapa 1 Fique de pé com os pés distantes 1 metro um do outro. Eles devem estar voltados para fora. Estique os braços à altura dos ombros.

Etapa 2 Gire o pé direito 90º para fora e o pé esquerdo 30º para dentro. Ponha a mão direita sobre a coxa direita. Estenda o braço esquerdo para o alto. Inspire e estique-se na direção da mão esquerda.

Etapa 3 Expire e escorregue a mão direita para baixo até a coxa. Incline-se devagar para o lado, sentindo o alongamento na metade esquerda do corpo. Levante a cabeça na direção do teto.

Etapa 4 Estique o corpo na direção do braço esquerdo. Escorregue para baixo sobre a perna esquerda, segurando no tornozelo se puder.

Etapa 1   Etapa 2
Etapa 3   Etapa 4

Sua inteligência física

Depois de ter feito todos os testes, você pode perfilar os seus resultados para ter uma visão geral dos seus pontos positivos. Verifique os respectivos valores de cada uma das pontuações dos seus testes.

Você acha que o seu corpo é apenas um instrumento, ou um meio de expressar quem você é?

- Se você assinalou 7 ou mais vezes a coluna "Médio", a sua inteligência física é satisfatória. Você provavelmente usa o seu corpo como um instrumento para a vida cotidiana, executando tarefas corporais simples como sentar-se, ficar de pé, atender ao telefone e digitar no teclado do computador.

- Se você assinalou 3-4 vezes uma ou outra coluna, a sua inteligência física é boa. Você provavelmente tem um estilo de vida medianamente bom, mas não é um praticante contumaz de esportes.

- Se você assinalou 7 ou mais vezes a coluna "Excelente", a sua inteligência física é superior. Você provavelmente gosta de atividades esportivas e tem um alto nível de condicionamento físico.

Desenvolvendo e aprimorando a inteligência física

A inteligência física pode ser medida usando-se unidades conceitualmente concretas como tempo, peso e distância. O seu perfil cinestésico pode ter surpreendido você ou simplesmente confirmado o que você já suspeitava sobre a sua aptidão física geral.

Como uma das capacidades mais suscetíveis de aprimoramento, a excelência (e a inteligência) física pode ser conseguida por pura determinação. É importante desde o começo, no entanto, considerar se você quer desenvolver o controle sobre os movimentos do seu corpo, ou está procurando aumentar o controle dele sobre objetos (usando as mãos ou ferramentas).

Se você possui uma inteligência física de satisfatória a boa, lembre-se de que os esportes tradicionais representam apenas uma maneira de melhorar a regulagem dos movimentos do seu corpo. A dança e o teatro são experiências altamente compensadoras para o corpo como um todo que requerem a integração de outras habilidades, incluindo as capacidades sociais, espaciais e musicais. As atividades artísticas e artesanais, como a escultura, a colagem, a decoração de interiores ou a modelagem, desenvolvem habilidades de controle sobre objetos.

	Médio ✓	Excelente ✓
Destreza manual		
Teste 1 (pp. 136-37)		
Teste 2 (pp. 138-39)		
Coordenação		
Teste 1 (pp. 140-41)		
Teste 2 (pp. 142-43)		
Equilíbrio		
Teste 1 (pp. 144-45)		
Teste 2 (pp. 146-47)		
Reflexos		
Teste 1 (pp. 148-49)		
Teste 2 (pp. 150-51)		
Flexibilidade		
Teste 1 (pp. 152-53)		
Teste 2 (pp. 154-55)		

Se você tem uma inteligência física superior, pode ser fácil concentrar-se num esporte ou atividade em que você se saia bem, mas tente exigir um pouco mais de si mesmo, aplicando a sua inteligência física a todas as partes do seu corpo. Se você gosta de jogar golfe, tente um esporte de contato que envolva mais exercício aeróbico. Se você joga uma porção de modalidades esportivas, concentre-se em melhorar a sua habilidade e desempenho em uma ou duas atividades.

Tratando com as crianças

Se você tem ou espera filhos, pode ser fascinante observar o seu desenvolvimento físico em atividade: o autocontrole físico é gradualmente expressado pela seqüência evolutiva de sentar-levantar-caminhar-correr. O controle de objetos começa na mais tenra infância, com os bebês sendo capazes de manipulá-los. Os bebês sabem usar ferramentas, ainda de maneira desajeitada, e as crianças maiores rapidamente progridem, passando a usar e fazer os seus próprios instrumentos e aprimorando-os de maneiras sofisticadas. Até parece que as crianças são geneticamente programadas para desenvolver habilidades físicas por conta própria, mas elas precisam de estímulo e apoio. Você pode dar esse empurrãozinho:

- Escolhendo historinhas rimadas e canções que funcionem juntas para estimular a execução de uma série de atividades como: "Eu vou, eu vou, brincar agora eu vou...", para movimentos com a parte superior do corpo; ou "Pela estrada afora, eu vou bem sozinho..." para os movimentos com a parte inferior do corpo.
- Ajudando as crianças mais velhas a escrever e interpretar uma peça de teatro, preparar um espetáculo ou uma revista musical. Inclua métodos tradicionais de atuar, cantar, fazer mímica e dançar.
- Encorajando as crianças a ser ativas. Acompanhe-as em passeios de bicicleta, estimule o uso do skate, leve os pequenos ao parque ou à praia ou piscina, jogue bola com eles.

OUTROS TIPOS DE INTELIGÊNCIA

O que são as inteligências criativa, musical, naturalista e intuitiva?

O IMPACTO CAUSADO pela inteligência múltipla levou os psicólogos a estudar outras áreas possíveis de capacidades especializadas, quatro delas analisadas neste capítulo. As inteligências naturalista e musical são reconhecidas pelos pesquisadores de inteligência múltipla e os estudos sobre inteligência criativa e musical se estenderam ao debate sobre a teoria da inteligência múltipla.

Inteligência criativa

A inteligência lógica, a capacidade de digerir informações sistematicamente, atrai um tipo de pensamento chamado "convergente" — cujo objetivo é chegar a uma resposta única para um problema. O propósito da forma de pensamento inversa, conhecida como "divergente", é gerar novas idéias e informações para produzir várias soluções.

O pensamento criativo baseia-se em diferentes estilos de pensamento e aptidões tais como:

- Originalidade, que permite desenvolver idéias incomuns e realmente ver as coisas com distanciamento. Você não se sente confinado pelas maneiras convencionais de fazer as coisas e desafia a norma;

- Flexibilidade, que gera idéias do maior número de categorias possível para ultrapassar os limites existentes. Nem todas as grandes idéias são especialmente originais: o ar-condicionado, por exemplo, era usado nas casas antes de alguém aplicá-lo aos automóveis (que já podem sair de fábrica com esse dispositivo).

- Fluência, que permite gerar muitas novas idéias para formar a base de uma "pirâmide" de tomada de decisão;
- Elaboração, que permite que as idéias alimentem-se dinamicamente umas das outras, sendo ampliadas e aprimoradas.

Inteligência musical

A faculdade de perceber, criar e expressar música em todas as suas formas é conhecida como inteligência musical. Essa habilidade pode ser "de iniciação" — uma apreciação empática e intuitiva da música. Um exemplo disso é alguém enlevado e inspirado por notas e ritmos musicais. Ela também pode ser "de acabamento" — uma compreensão analítica e técnica da música. Alguém que componha e execute música possui habilidade musical deste último tipo.

A música pode ser decomposta em dois componentes essenciais: tom (as notas ou a melodia musical) e o ritmo (o compasso ou o tempo das notas). O tom é o grau de elevação (alto ou baixo) de um som musical, que é determinado pela velocidade das vibrações que o produzem. O ritmo musical tem a ver com a estrutura temporal como os padrões de duração de um grupo de notas. Um terceiro elemento musical é o timbre (a característica e a "cor" de um determinado tom).

A inteligência musical se desenvolve cedo (é evidente entre os "protegidos"), a meiga sonoridade produzida pelos pais acalma até o recém-nascido e os bebês são capazes de emitir tons isolados e imitar partes de canções familiares. O Programa de Educação de Talentos de Suzuki, no Japão, educa pré-escolares a alcançar um aprimoramento extraordinário na execução de instrumentos de corda. E é interessante notar que o talento musical precoce nem sempre dura até a maturidade.

Inteligência naturalista

A capacidade de criar, identificar e classificar plantas, animais e fenômenos naturais é conhecida como inteligência naturalista. Ela reconhece a inteligência de pessoas que são capazes de domesticar animais, navegar pelas estrelas ou cultivar o próprio alimento. As pessoas que têm esse tipo de inteligência provavelmente adoravam a vida ao ar livre quando crianças, gostavam de criar animais de estimação, cultivar plantas desde a semente, coletar fósseis ou observar as mudanças de tempo. Elas são sempre muito sensíveis a quaisquer mudanças no ambiente.

Inteligência intuitiva

A faculdade de decifrar padrões de informações aparentemente caóticas está profundamente enraizada no nosso subconsciente e é conhecida como inteligência intuitiva. Alguma vez a solução de um problema surgiu de repente nos seus pensamentos? O seu cérebro armazena tudo o que ocorre ao seu redor, ordena tudo e "arquiva" as informações para uso futuro. Quando uma revelação inesperada salta na sua mente, é a sua intuição funcionando!

Considerada comumente em termos de "sensações profundas" ou experiências etéreas como a percepção extra-sensorial, a intuição tem ganhado importância cada vez maior até mesmo no mundo empresarial, normalmente céptico e rígido. Os empreendedores geralmente obtêm êxito depois de "ouvir" a própria intuição — eles costumam admitir que simplesmente tiveram uma sensação a respeito de determinadas idéias comerciais enquanto, na prática, o cérebro estava, paciente e subconscientemente, registrando e processando acontecimentos e idéias até que a proposta adquiriu forma consciente.

Qual a importância das inteligências criativa, musical, naturalista e intuitiva?

A TEORIA DA INTELIGÊNCIA MÚLTIPLA é mais ampla do que as categorias de inteligência lógica, espacial, lingüística, emocional e física. Esse conceito filosófico abrangente, universal, sobre a inteligência levou outros psicólogos a pesquisar outras facetas da inteligência, considerando aspectos menos palpáveis como as inteligências criativa e intuitiva.

Inteligência criativa

Os pensamentos convergente (não-criativo) e divergente (criativo) são usados em todos os aspectos da vida. Este último é usado quando superamos satisfatoriamente as mudanças no mundo em rápida mudança. No entanto, gastamos grande parte da nossa carreira educacional lidando lógica e metodicamente com grandes quantidades de informações, tarefas e esquemas baseados no pressuposto de que existem respostas certas e erradas, assim o pensamento convergente nos é inculcado desde a mais tenra infância. Depois que entramos na nossa carreira profissional, passa a ser altamente valorizada a nossa capacidade de ser ao mesmo tempo criativos com os problemas e também capazes de fundir as informações disponíveis de maneiras diferentes.

As pessoas criativamente inteligentes são excelentes no tipo de pensamento espontâneo e que flui livremente. Sem ser influenciadas por idéias excêntricas ou incomuns, elas são hábeis em antecipar julgamentos e em compartimentar processos de pensamento para permitir que as idéias floresçam, e não esmoreçam perante considerações de ordem prática. Essas pessoas dão bom projetistas, artistas, pesquisadores, criadores de produtos e profissionais de mídia.

Inteligência musical

A música é onipresente na vida de todos nós: em casa, no carro, nos estabelecimentos comerciais, em restaurantes, nos cultos religiosos, até mesmo na escola. Ela nos ajuda a aprender e lembrar: ao ouvir uma velha melodia no rádio, é bem provável que você se recorde de fatos ligados a alguma lembrança. A música tem o poder de acalmar, inspirar, animar e enlevar.

A música tem dois componentes básicos: o tom (a qualidade auditiva das notas) e o ritmo (a combinação de compassos na melodia). A capacidade de distinguir, e criar, as sutis diferenças entre tons e ritmos pode ser aplicada tanto na música quanto na oratória e nos idiomas. A música é um método de comunicação altamente eficaz e as pessoas que são musicalmente inteligentes têm o potencial de ser grandes comunicadores. As pessoas musicalmente inteligentes têm um bom sentido de ritmo e (normalmente) dançam bem, cantam afinadas, detectam quando uma nota está desafinada e lembram-se e reconhecem canções, imitam sotaques, fazem imitações de pessoas e compõem mentalmente canções e melodias.

Elas dão músicos excelentes, claro, assim como instrumentistas e artistas, compositores, intérpretes, empresários artísticos, críticos musicais e engenheiros de som.

Inteligência naturalista

À primeira vista, morar na cidade seria um grande impedimento à necessidade de entender e ser capaz de interpretar o mundo natural. Na verdade, cabem algumas considerações práticas: ainda precisamos de pessoas para plantar o nosso alimento, fazer a previsão do tempo e controlar as pragas naturais. Também há benefícios emocionais a serem colhidos por manter-se mais em contato com o lado naturalista. As pessoas sentem-se melhores quando tomam ar fresco, cuidam de um animal doméstico, cultivam plantas em casa ou tratam de um modesto jardim. Elas sentem-se mais calmas, menos tensas, mais capazes de lidar com as exigências da vida na cidade moderna. As pessoas com inteligência naturalista nutrem uma grande empatia em relação aos demais seres vivos e são capazes de criá-los e classificá-los. Elas têm familiaridade com o seu ambiente e com a natureza. Essas pessoas dão bons biólogos, ecologistas, astrônomos, fotógrafos da vida silvestre, químicos e paisagistas.

Inteligência intuitiva

Os seres humanos têm a capacidade de administrar as informações, filtrar os fatos e impressões para se concentrar nos detalhes importantes e depois elaborá-los para chegar a uma conclusão. Às vezes as informações encontram-se tão espalhadas e distantes da sua origem que é quase impossível detectar uma ligação. Quando o raciocínio e a lógica nos derrubam, não somos capazes de agrupar os dados pertinentes e as informações permanecem compartimentadas ou sem significação. A intuição é a nossa "rede de segurança" subconsciente, uma maneira perspicaz e profunda de coletar as informações que o nosso consciente pode ter deixado de lado ou esquecido. As pessoas intuitivamente inteligentes vêem o quadro mais amplo fornecer idéias, conceitos e relações que os outros muitas vezes menosprezam, e reconhecem que o subconsciente é tão importante quanto o consciente. Elas dão grandes psicólogos, empreendedores, professores, jornalistas e líderes religiosos.

Você é um pensador lateral?

Considerar um problema de diferentes ângulos para identificar e experimentar as diversas alternativas de solução requer o raciocínio lateral. Esse é o tipo de raciocínio criativo que a mente humana é capaz de desenvolver, mas que os computadores são incapazes de processar. Ele é útil quando um curso de pensamento chega a um beco sem saída e é preciso adotar outro tipo de abordagem. Em muitas situações da vida cotidiana, o pensamento lógico pode ser limitante e inibir a análise mais ampla dos problemas em questão, então pensar lateralmente ajuda a chegar a uma solução. Enigmas para o raciocínio lateral são situações esquisitas que requerem uma explicação. Elas podem ser muito difíceis ainda que agradáveis de resolver e estimulam uma análise das expectativas ou preconceitos sobre uma determinada situação pela justaposição de uma porção de sugestões e partes de informações. Pensar lateralmente e evitar o óbvio é um ótimo instrumento para a vida que, uma vez desenvolvido, será sempre útil, seja na escolha de um presente incomum para um amigo, redigir uma palestra original para os clientes ou até decorar um apartamento novo.

AVALIE O SEU RACIOCÍNIO LATERAL

Descubra o que está acontecendo nas situações incomuns abaixo. Não tenha pressa e seja descontraído, flexível e criativo no seu raciocínio.

1. Um homem está sentado dentro do carro enquanto a chuva forte escorre pelo pára-brisa. De repente, as luzes da rua se apagam e a chuva pára. Onde ele estava?

2. Um cachecol, uma cenoura, dois torrões de carvão e três botões foram encontrados no jardim. Como chegaram lá?

3. Um homem jaz solitário e morto num campo, usando uma mochila. Como ele morreu?

4. Um homem observou a esposa saltar de uma ponte e em seguida comemorou o fato durante a refeição. Por quê?

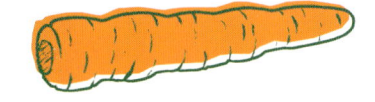

⭐ Para melhorar

Faça uma lista de todas as coisas que faz por hábito — como tomar um café com leite na mesma cafeteria a caminho do trabalho toda manhã. Ao lado de cada item, identifique as diversas alternativas para esses hábitos em que consiga pensar — tomar um suco de frutas em vez do café, experimentar outra lanchonete, fazer outro caminho para o trabalho. Crie cinco opções diferentes para cada hábito. Escolha uma opção para cada um e ponha em prática.

5. Um cavalo salta sobre uma torre e é capturado por um bispo. Onde isso aconteceu?

6. Uma mulher tem duas filhas que nasceram na mesma hora do mesmo dia do mesmo ano, mas elas não são gêmeas. Como isso é possível?

7. Pai e filho saíram feridos de um acidente de automóvel e foram levados às pressas para o hospital. Ao ver o menino na mesa de cirurgia, a pessoa que ia operá-lo exclamou: "Este é o meu filho!" Como isso é possível?

8. Bonnie e Clyde jaziam mortos no chão. Em volta deles havia cacos de vidro. Não havia marcas nos corpos e eles não foram envenenados. Como eles morreram?

RESPOSTAS E INTERPRETAÇÕES

Marque 1 ponto para cada resposta correta
Pontuação máxima = 8

1. *Num lava-rápido durante um apagão.*
2. *Eles eram de um boneco de neve que derreteu.*
3. *O pára-quedas não abriu.*
4. *A esposa fizera o seu primeiro salto de bungee jump.*
5. *Num tabuleiro de xadrez.*
6. *Elas eram de um grupo de trigêmeas.*
7. *A pessoa que iria operar era a mãe do menino.*
8. *Bonnie e Clyde eram peixinhos no aquário que se espatifou ao cair no chão.*

Se você fez 2 pontos ou menos — tem um raciocínio lateral médio e provavelmente considerou as respostas uma solução e um pouco ridículas. A sua tendência é para o pensamento dedutivo em vez de lateral. A experiência adquirida costuma ser usada como ponto de referência ao tomar decisões, mas ela pode limitar você porque a melhor solução pode ser algo que você nunca fez antes. Tente questionar a importância de acontecimentos passados na tomada de decisões futuramente.

Se você fez 3 pontos ou mais — então tem um excelente raciocínio lateral e provavelmente gosta de pensar diferente e é valorizado pelas suas contribuições criativas na solução de problemas. Você não se deixa limitar pela norma nem teme romper com as tradições.

Você cria idéias aleatoriamente?

Existem diversas técnicas bastante eficazes de pensamento criativo que liberam e promovem os processos de raciocínio criativo. Raciocinar sem algum tipo de estrutura é algo difícil, mas quase todo mundo é capaz de praticar a criatividade até certo ponto — só precisa se desbloquear.

O brainstorming, ou fluxo aleatório de idéias, que envolve a geração de idéias num ambiente criativo e desestruturado, é o método mais conhecido de criação de idéias. Uma idéia simples é usada para gerar outras idéias. Tudo é registrado; não se descarta nem se critica nada. O método ajuda a romper o método de pensamento habitual para produzir um conjunto de idéias que podem depois de analisadas apenas com base no seu valor ou mérito. Esta técnica é usada para superar problemas, em que são necessárias opções novas e inesperadas, em vez das escolhas óbvias e comuns.

O segredo da qualidade do brainstorming é a quantidade de idéias que precisam ser geradas. Uma grande quantidade é da maior importância, uma vez que as idéias usuais, velhas, tendem a surgir primeiro na mente, de modo que as primeiras 20-30 idéias provavelmente não serão as mais inovadoras e criativas. Além disso, quanto maior a lista de possibilidades, mais material haverá para ser escolhido, adaptado ou aproveitado como inspiração para novos conceitos. Por que se limitar a uma solução quando estiver resolvendo um problema?

AVALIE A SUA CAPACIDADE

Você pode fazer esta sessão de brainstorming sozinho ou com um grupo pequeno (idealmente com 4-6 pessoas). Existem quatro regras capitais: em primeiro lugar, devem ser destinados para isso 20 minutos; segundo, suspenda todo julgamento enquanto durar a sessão; terceiro, tome nota de todas as idéias, de modo que todos os participantes possam avaliá-las e tentar melhorar as idéias dos outros; quarto, encontrem o máximo de idéias possível.

Teste 1
Durante 20 minutos, desenvolva 30 idéias sobre os usos de uma corda (por exemplo, cinto, coleira, laço). Refine essas idéias em três maneiras práticas e inovadoras de usar uma corda.

Teste 2
Durante 20 minutos, encontre 30 idéias para melhorar o projeto de um automóvel (por exemplo, um tanque de combustível que se abastece sozinho, pneus à prova de furos, geladeira embutida). Refine as idéias encontradas em três soluções práticas e eficazes.

OUTROS TIPOS DE INTELIGÊNCIA

⭐ Para melhorar

Considerar um problema de diferentes ângulos é essencial para o pensamento criativo. Imagine um molho de chaves de acordo com: o que você vê (objetos de metal uniformes com uma face dentada), sente (superfícies frias e duras), ouve (som áspero), cheira (nada especial) e sente o gosto (metálico). Agora pense sobre um molho de chaves em termos de: quem? quê? onde? quando? como? por quê? A quem pertencem as chaves? Para que são usadas? Onde são usadas? Aplique esta técnica a uma caneta, um biscoito e um tijolo.

RESPOSTAS E INTERPRETAÇÕES

Se você criou menos de 30 idéias ou não foi capaz de chegar a três idéias aproveitáveis — então tem uma capacidade de criação de idéias média. Você pode ter considerado difícil pensar livremente. Suspender o julgamento é o bloqueio mais comum ao pensamento criativo. Lembre-se de que você será capaz de avaliar mais tarde, mas no momento deve aplicar o pensamento criativo.

Se você criou 30 idéias dentro do tempo dado e chegou a três idéias aproveitáveis — então você tem uma excelente capacidade de criação de idéias. Você é capaz de controlar o seu pensamento e suspender as críticas. Isso é inestimável para se comunicar com os outros e para a solução de problemas. Ser capaz de ouvir a história inteira antes de fazer algum julgamento faz de você um ótimo gerente.

Você consegue se lembrar de detalhes?

A INTELIGÊNCIA CRIATIVA desempenha um papel fundamental na solução de problemas, uma vez que desfaz os bloqueios ao fluxo da geração de idéias. A criatividade também contribui grandemente para a memória, uma vez que a imaginação pode ser usada para criar vínculos entre partes significativas das informações. Quanto mais fértil for a sua capacidade de imaginar e visualizar uma situação, mais nitidamente ela vai se configurar na sua mente para ser aproveitada mais tarde. As pessoas que têm boa memória usam técnicas de criatividade para se lembrar de listas de compras, datas de nascimento, efemérides e números de telefone.

Um dos jogos de memória usados nos acampamentos de escoteiros é o jogo de Kim, baseado num acontecimento no livro de Rudyard Kipling, *Kim* (1901). Kim torna-se amigo de um mercador de jóias e antiguidades, que lhe ensina a prestar atenção aos detalhes para depois lembrar-se deles. O comerciante descobre uma bandeja cheia de jóias e pede a Kim para observá-las durante um minuto antes de tornar a cobri-las. Então Kim tem de se recordar do máximo de informações possível sobre os objetos vistos. Esse jogo ajuda a desenvolver a inteligência criativa.

AVALIE A SUA CAPACIDADE

Você vai precisar de um cronômetro, caneta e papel.
Observe os objetos ao lado. Imagine que você tivesse de lembrar deles todos, como no jogo de Kim. Faça uma lista das técnicas que poderia usar para criar vínculos e estímulos para a memória entre os objetos para ajudá-lo a lembrar-se deles.

OUTROS TIPOS DE INTELIGÊNCIA

169

⭐ Para melhorar

Faça uma lista de tipos de informações que acha difícil lembrar: números de telefone, códigos postais, contas de banco. Escolha um número que realmente queira lembrar de cor, porque incomoda você ter de consultá-lo. Escolha uma técnica criativa para citar e lembrar dele. Guarde na memória o processo, recitando o código todos os dias.

RESPOSTAS E INTERPRETAÇÕES

Eis algumas sugestões:

- *Pela cor* (por exemplo, três itens laranja: uma laranja, um lápis e uma xícara).
- *Visualizando a sua posição na bandeja e recorrendo à sua capacidade espacial.*
- *Criando uma história ao redor dos 10 itens* (por exemplo, um homem entra num café, desabotoa o casaco, senta-se e pede uma xícara de café aromatizado com laranja etc.).
- *Imaginando todos os objetos na sua casa* (por exemplo, uma xícara, uma colher e uma ampulheta na cozinha etc.).
- *Criando um acrônimo* (por exemplo, formar uma palavra com as letras iniciais dos itens na bandeja).
- *Criando associações numéricas* (por exemplo, uma bola é redonda como um zero, um lápis parece o número um, a asa da xícara lembra o número dois etc.).
- *Imaginando cada objeto em algum ponto da sua jornada de trabalho* (por exemplo, você abre a porta com a chave; a ampulheta lembra que você tem 20 minutos para chegar ao trabalho; você come uma laranja enquanto espera o ônibus etc.).

Se você conseguiu 4 ou menos vínculos — você tem uma inteligência criativa média e achou difícil ver além da função dos objetos. Desenvolva a sua inteligência criativa desafiando os rótulos que estabelece para as coisas. Evite o pensamento "concreto".

Se você conseguir 5 ou mais vínculos — você tem uma inteligência criativa excelente e gostou de encontrar vínculos e maneiras de lembrar dos objetos criando diversas relações entre eles. Você pode ter feito um brainstorming subconsciente para chegar às respostas.

Você tem um bom ouvido musical?

O som é energia em forma de vibrações chamadas ondas sonoras. O tom é a altura relativa de uma nota. Quando é tocada uma corda, ela vibra, o que faz com que o ar em torno dela vibre também. Essas vibrações são captadas pelo ouvido e o cérebro as interpreta como som. Se as vibrações forem constantes, nós as ouvimos como uma nota musical — quando as vibrações são rápidas, ouvimos uma nota (ou tom) alto; quando as reverberações são lentas, ouvimos uma nota baixa. O tom determina onde a nota se situa na escala musical, um método usado para organizar as notas em ordem de altura. As escalas ocidentais têm oito notas, chamadas oitavas. O intervalo entre as notas difere ao redor do mundo: a sensação às vibrações dos músicos indianos e chineses representa um intervalo muito mais curto entre as notas que na música ocidental, por exemplo. Algumas pessoas têm uma faculdade inata, conhecida como "ouvido absoluto", para identificar ou entoar uma determinada nota sem precisar do auxílio de um diapasão. Mozart era capaz de reproduzir melodias ao piano depois de ouvi-las apenas uma vez. Contrariamente, pessoas que são desafinadas não conseguem reconhecer a diferença entre as notas. A maioria de nós situa-se entre esses dois extremos: com a prática, quase todo mundo é capaz de aprender a distinguir os tons com razoável competência.

AVALIE A SUA CAPACIDADE

C D E F G A B C

COMECE DAQUI

⭐ Para melhorar

1. Pegue cinco copos de vidros diferentes e encha-os com quantidades variadas de água. Toque a borda de cada um deles com uma colher. Coloque-os em ordem de tom — do mais baixo ao mais alto.

2. Usando os mesmos cinco copos, tente entoar a nota que cada um deles produz ao ser tocado. Peça a um amigo para avaliar o seu desempenho.

3. Sintonize-se com as vibrações do ambiente em que se encontra. Sinta-as ressoar através do seu corpo enquanto as ouve. Posicione-as numa "Escala Richter" pessoal. Em que altura se posiciona o ruído de um ônibus ao passar pela sua casa? Você sente as vibrações de um carro com o rádio no volume máximo? E quanto ao barulho dos trabalhadores britando uma calçada? Você sente esses sons?

RESPOSTAS E INTERPRETAÇÕES

Teste 1
A ordem correta é: C - D - E - G - E - F

Teste 2
As respostas vão depender da escolha do seu parceiro.

Se você identificou alguma nota incorretamente, seu ouvido musical é médio, e provavelmente você achou difícil perceber as sutis diferenças entre as notas. Procure se aprimorar prestando atenção às mudanças no seu tom de voz quando conversa com as pessoas.

Se você identificou todas as notas corretamente, então tem um ouvido musical excelente, acha fácil distinguir pequenas mudanças de tom e pode ter tido algum tipo de educação musical na infância. Você é capaz de distinguir e usar os tons na conversa para entender o que é dito e para transmitir as suas emoções.

Você vai precisar de um piano ou órgão elétrico para os dois testes.
O primeiro teste você faz sozinho; o segundo, com um parceiro.

TESTE 1
Começando de C, encontre as primeiras sete notas do baião *Asa Branca*, de Luís Gonzaga. Marque cada nota pela letra que a representa (isto é, C - ...).

TESTE 2
Sente-se de costas para o teclado. Peça ao parceiro para tocar uma determinada nota. Depois de três segundos, peça a ele para tocar de novo — ou a mesma nota, ou a tecla à esquerda ou à direita da primeira nota. Repita até ter adivinhado entre cinco notas se eram as mesmas ou diferentes. Observe quantas identificou corretamente.

Você tem ritmo?

O RITMO, ASSIM COMO O TOM, constitui a essência da música e representa as batidas do coração nela. Ele pode ser criado pela batida num simples tambor, por exemplo, permanecendo constante; mas é impossível obter música com o tom mas sem ritmo. O ritmo é a pulsação, o que faz você acompanhar batendo o pé; ele mede o tempo ao longo da composição. Na música popular, o ritmo costuma ser marcado por um baterista.

Assim como o ritmo é fundamental na música, também a sensibilidade ao ritmo é fundamental para a inteligência musical. As pessoas com essa faculdade caminham graciosamente de braço dado com um parceiro e sincronizam-se com o ritmo físico das outras pessoas. Elas consideram dançar uma música, com amigos ou um parceiro, a coisa mais natural e fácil. Desse ponto de vista, a inteligência musical oferece uma grande vantagem social.

AVALIE O SEU SENTIDO RÍTMICO

Sente-se à mesa ou escrivaninha com um parceiro. Tenha caneta e papel à mão.

TESTE 1

Dê ao seu parceiro uma lista de 10 músicas que ambos conheçam. Escolha músicas bem conhecidas, populares, canções infantis ou de carnaval, choro — *Aquarela do Brasil, Garota de Ipanema, Peixe Vivo, Mamãe Eu Quero, Carinhoso* e assim por diante.

Escolha cinco canções da lista, sem informar ao parceiro sobre as suas escolhas. Para cada canção, batuque na mesa o ritmo com os dedos. Peça ao parceiro para adivinhar que música é. Pode repetir mais uma vez. Anote quantas canções o seu parceiro adivinhou.

TESTE 2

Sentado à mesa ou escrivaninha com o seu parceiro, peça-lhe para batucar um ritmo. Pode ser uma canção que ele conheça, ou simplesmente uma batida convencional. Você deve procurar repetir o ritmo exatamente como ouviu. Peça ao parceiro para batucar um total de cinco ritmos. Depois, pergunte-lhe como acha que você se saiu na imitação de cada canção e tome nota dos resultados.

OUTROS TIPOS DE INTELIGÊNCIA   173

RESPOSTAS E INTERPRETAÇÕES

Se você obteve 3 pontos ou menos — o seu sentido rítmico é médio. Você provavelmente achou difícil lembrar-se das batidas e reproduzi-las com as suas mãos. Pode ser que goste de dançar, mas talvez admita que esse não é um dos seus pontos fortes! Você não tende a sentir o ritmo das músicas, mas consegue acompanhá-lo pelo movimento dos outros dançarinos, ou procurando entrosar-se com as batidas da bateria.

Se você obteve 4 ou mais pontos — o seu sentido rítmico é excelente. Talvez você tenha achado relativamente fácil traduzir a batida que sentiu ou imaginou nos movimentos das mãos ou dedos. Você é um bom dançarino e geralmente se pega marcando o ritmo das músicas com os pés ou então de uma música de que gosta para encontrar o ritmo.

⊛ Para melhorar

Observe como o ritmo da música pode afetar o seu humor ou às vezes deixar você animado, com preguiça, triste ou alegre. Escolha alguns discos em casa e ouça-os num Walkman ou Discman no caminho do trabalho. Ouça uma música e tente reproduzir o ritmo batucando com os dedos na coxa ou pelos passos no chão.

Você se identifica com o mundo natural?

A INTELIGÊNCIA NATURALISTA foi identificada por Howard Gardner em 1995. Ele a descreveu como a capacidade de identificar plantas, animais e outros elementos do mundo natural (como rochas, fósseis ou nuvens) e ver padrões e ligações entre eles. As pessoas com esse tipo de inteligência são intensamente sensíveis ao ambiente ao seu redor e às mudanças nesse ambiente. Elas têm uma percepção sensorial altamente desenvolvida, muitas vezes notando coisas que os outros são incapazes de perceber. Muitos povos tribais, por exemplo os aborígines australianos e os índios americanos, possuem e valorizam muito a inteligência naturalista. Charles Darwin, autor de *A Origem das Espécies* (1859), era dotado dessa inteligência em abundância.

Uma empatia com a natureza é normalmente ligada a uma capacidade de ordenar e classificar espécies biológicas e geológicas de modo que é compreensível que as pessoas sensíveis à natureza gostem de colecionar objetos como penas, folhas ou conchas desde criança. Desde a infância elas têm uma forte ligação com o mundo natural (evidente pela sua afinidade com animais e plantas) e uma atração por livros e documentários sobre a natureza.

PONHA-SE À PROVA

Decida se cada afirmação é verdadeira (2 pontos), parcialmente verdadeira (1 ponto) ou não verdadeira (0 ponto). Some o total de pontos obtidos.

1. Gosto de animais e normalmente ganho a confiança deles.
2. Adoro a vida ao ar livre e sair para caminhadas ou para acampar.
3. Os meus sentidos são muito aguçados — paladar, tato, visão, audição e olfato.
4. Costumo acompanhar as mudanças de tempo, observando as nuvens e a direção do vento.
5. Gosto de observar e compreender os fatos da natureza como o brilho das estrelas e o movimento das marés.
6. Gosto de cuidar de plantas e pode-se dizer que tenho a mão boa para isso.
7. Observo os padrões no meu ambiente — mudanças, diferenças, semelhanças e ligações.
8. Gosto de colecionar artefatos naturais, ou coletar fatos sobre objetos e eventos naturais.
9. Adoro assistir a programas sobre história natural na TV, ou ler livros e revistas sobre a natureza e a vida selvagem.
10. Eu me preocupo com o meio ambiente.

OUTROS TIPOS DE INTELIGÊNCIA

RESPOSTAS E INTERPRETAÇÕES

Se você fez 12 pontos ou menos — a sua inteligência naturalista é média e você provavelmente não considera a natureza muito importante na sua vida. Você pode ter um interesse definido por ela, representado pela adoção de um animal de estimação, por exemplo, mas não tem uma afinidade global. Tente desenvolver essa habilidade observando o tempo, os animais e as plantas ao seu redor.

Se você fez 13 pontos ou mais — a sua inteligência naturalista e a sua afinidade com a natureza são excelentes, o que provavelmente começou na infância. Você se vê como parte de um mundo natural amplo e se preocupa profundamente com os animais, plantas e o meio ambiente.

✪ Para melhorar

1. Crie um livro de recortes sobre os objetos naturais que mais agradem você. Por exemplo, você pode incluir observações sobre os tipos de cantos de pássaros que ouve a caminho do trabalho, desenhos de formas incomuns de nuvens, fotografias de formações rochosas ou espécimes de folhas que achar bonitas.

2. Aprenda a identificar os tipos de flores e árvores do seu quintal, da sua rua ou do seu bairro. Compre ou tome emprestado um livro que ajude a identificá-las.

3. Vá a um parque próximo e procure insetos no chão, virando pedras ou troncos, se necessário. Observe o que está acontecendo ao nível do chão. Eles trabalham sozinhos ou em grupos? Eles gostam de luz ou de sombra? Existe algum padrão nos movimentos deles?

Você pode ajudar o ambiente?

Os nossos ancestrais usavam a sua afinidade e os seus conhecimentos sobre o meio ambiente para caçar e cultivar. Nos séculos XIX e XX, quando progrediram muito as pesquisas biológicas e médicas, isso se traduziu nos inúmeros métodos criados para influenciar e controlar a natureza por meio de fertilizantes, antibióticos e plantas resistentes a doenças.

A capacidade de controlar a natureza e usá-la em benefício da humanidade é um dos frutos da inteligência naturalista. Os resultados podem ser fundamentais para a vida na forma de alimentos ou medicamentos. Devemos sempre tomar consciência de que não somos os donos e estamos apenas temporariamente compartilhando este planeta — algo que as pessoas sensíveis à natureza compreendem e respeitam.

PONHA-SE À PROVA

Imagine que está criando um lago no seu quintal ou jardim, com o objetivo de atrair a vida silvestre local para a sua observação ou o seu prazer. Distribua as seguintes atividades na ordem que você decidiria realizar. Divida as atividades em planejamento, construção e povoamento.

A. Instalar uma bomba e um filtro para oxigenar a água para os peixes.
B. Introduzir um microecossistema saudável coletando um balde de água de um lago limpo nas proximidades.
C. Caminhar pelo local para situar e desenhar uma planta dos aspectos do terreno, incluindo a casa, as árvores e os limites da cerca viva.
D. Calcular o revestimento do lago, cobrir a base do revestimento com areia e revestir as bordas com folhas plásticas.
E. Pesquisar as normas locais para a instalação de um lago e requerer as permissões necessárias.
F. Povoar o lago com peixes nativos.
G. Encher o lago com água posicionando a mangueira no centro dele. Esperar um ou dois dias antes de aparar o plástico do revestimento e prender as bordas com pedras grandes.
H. Marcar a forma do lago, depois cavar e verificar se as bordas estão niveladas. Fazer um planalto ao longo do perímetro e uma área rasa de lama para pássaros e insetos.

⭐ Para melhorar

1. Dê uma caminhada no parque e gaste alguns minutos observando o que acontece ao seu redor. Como o vento passa pelas árvores? Com que os pássaros se ocupam o tempo todo? Você consegue ver insetos no gramado? Quais plantas florescem nessa época do ano?

2. Assista regularmente aos programas e canais voltados para temas da vida natural para aprender mais sobre a vida selvagem aqui e em outros países.

I. Plantar mudas de espécies nativas: algumas submersas (para oxigenar a água), algumas flutuantes (como hábitat para a vida silvestre) e plantas ao redor do lago (para criar uma barreira contra predadores como gatos).

J. Definir a melhor localização e forma do lago, tendo em mente que, embora as plantas aquáticas precisem de bastante luz solar, o excesso de luz causa o crescimento de algas na superfície da água. Assegure que haja um caminho para que os animais possam aproximar-se e afastar-se do lago em segurança (como grama alta ou canas).

RESPOSTAS E INTERPRETAÇÕES

A ordem correta é:
Planejamento: E - C - J
Construção: H - D - G - A
Povoamento: I - B - F

O planejamento e a construção asseguram que você considere e crie todos os fatores necessários para atrair e manter um lago saudável para plantas e animais. O povoamento do lago leva em conta as necessidades das plantas e animais e o relacionamento entre eles.

Se você distribuiu todas as atividades na ordem correta, então tem uma excelente inteligência naturalista aplicada. Você está em sintonia com a natureza e é capaz de controlá-la em seu benefício. Você provavelmente gosta de jardinagem, animais domésticos e vida ao ar livre. Também pode ser um colecionador.

Se você distribuiu as atividades em qualquer outra ordem, então tem uma inteligência naturalista aplicada média. Você provavelmente não realizaria uma tarefa como essa na vida real. Tente melhorar os seus conhecimentos adotando um animal de estimação ou cuidando de plantas.

Você tem intuição?

De maneira geral, existem três maneiras de usarmos o nosso cérebro para sobreviver no mundo que nos cerca: em primeiro lugar, pelo instinto, que é específico da nossa espécie e algo com que todos nascemos; segundo, pela inteligência, a capacidade de pensar conscientemente; terceiro, pela intuição, a nossa capacidade interior de aprender e processar as informações subconscientemente. Ela está em ação quando às vezes a resposta correta para um problema complexo aparece de repente na nossa mente, ou quando o cérebro consegue ver um padrão numa situação aparentemente caótica.

As crianças aprendem originalmente pela intuição — elas não têm ainda a capacidade de raciocinar logicamente nem racionalmente. Por exemplo, elas aprendem o idioma e a fala por "absorção", sem ter nenhum conhecimento de gramática.

As pessoas que têm uma forte inteligência intuitiva criam impressões sobre acontecimentos que carecem de detalhes e conseguem ver o conjunto como um todo. Elas costumam desenvolver idéias, conceitos e relações que os outros não conseguem, porque têm noção do que devem tentar em seguida.

PONHA-SE À PROVA

Leia cada afirmação abaixo e decida se nunca é verdadeira (0 ponto), parcialmente ou às vezes verdadeira (1 ponto) ou sempre verdadeira (2 pontos). Calcule a soma total da sua pontuação.

- Às vezes demoro a tomar uma decisão porque sei que o modo de proceder acaba se tornando claro para mim.
- Tenho sensações sobre coisas que mais tarde se mostram corretas.
- Normalmente consigo adivinhar o que vai acontecer num livro ou filme já na metade do caminho.
- Tenho uma tendência a não usar as instruções de uso de aparelhos porque costumo aprender a usá-los por tentativa e erro.
- Costumo pensar no que há nas entrelinhas ou por trás do que as pessoas escrevem ou dizem para ter uma opinião alternativa.
- Consigo resolver problemas sem ser capaz de explicar como cheguei à resposta certa.
- Interesso-me por coisas novas e diferentes.
- Acredito em confiar na fé em determinadas situações.
- Consigo pressentir quando duas pessoas têm um relacionamento, mesmo que isso seja um segredo.
- Confio nos meus instintos quando conheço uma pessoa nova.

OUTROS TIPOS DE INTELIGÊNCIA

RESPOSTAS E INTERPRETAÇÕES

Se você somou 12 pontos ou menos — a sua inteligência intuitiva é média. Pode ser que capte o que acontece ao seu redor, mas nem sempre vê o quadro como um todo. Desenvolva a sua inteligência intuitiva tendo um pouco de fé e confiando no seu julgamento interior.

Se você somou 13 pontos ou mais — a sua inteligência intuitiva é excelente. Você capta as sugestões e idéias e guarda-as no seu subconsciente até que surja um padrão. A sua capacidade de processar informações complexas sem um esforço consciente é um talento subestimado.

✪ Para melhorar

1. Postergue uma decisão por um dia. Anote o que teria feito se tivesse agido imediatamente. Tome nota do que você decidiu fazer depois de 24 horas, depois de ter dado uma chance ao lado intuitivo para processar os fatos. A sua compreensão dos fatos aumentou? O que o seu consciente não considerou e o subconsciente percebeu?

2. Divirta-se com a sua intuição. Pense num colega e tome nota de três previsões: que roupas ele vai vestir amanhã, quantas xícaras de café ele vai beber e a hora em que vai sair do trabalho no fim do dia. Confirme o grau de exatidão das suas previsões. Quais processos de raciocínio você aplicou para chegar às suas previsões?

Como você obtém informações?

CARL JUNG (1875—1961), psiquiatra suíço e amigo de Sigmund Freud, tentou entender e explicar as diferenças individuais entre as pessoas, estudando-as, entre outros aspectos, como introvertidas e extrovertidas. Qualquer que seja o nosso tipo, ainda temos de lidar com o mundo tanto interna quanto externamente. Jung cunhou a palavra "sensitivo" para as pessoas que obtêm informações do mundo principalmente através dos sentidos, observando e ouvindo (o estilo de pensamento predominante na filosofia ocidental). Jung reservou o termo "intuitivas" para as pessoas que observam o que acontece dentro delas, são mais introspectivas e basicamente ouvem a sua voz interior. A intuição decorre da complexa integração de grandes quantidades de informações, em vez de apenas o que os sentidos captam. As pessoas com uma inclinação para a intuição preferem obter a compreensão antes pela percepção do que pela experiência imediata concreta. Jung acreditava que as pessoas tendem a ser *ou* sensitivas *ou* intuitivas — uma dominante, a outra reprimida — mas que devemos nos esforçar para ser as duas coisas. A obra de Jung forneceu as bases para o famoso instrumento de classificação de tipos de Myers-Briggs®, um dos meios mais usados para entender as diferenças normais de personalidade.

PONHA-SE À PROVA

Escolha as respostas que melhor caracterizem você.

1. Eu considero...
a) o quadro geral em primeiro lugar, depois vou pouco a pouco chegando aos fatos.
b) os fatos em primeiro lugar, os quais vou juntando aos poucos até chegar ao quadro geral.

2. Eu resolvo os problemas...
a) pela percepção, fé e uma sensação de que encontrei a coisa "certa" a fazer.
b) considerando as coisas como um todo até ter uma compreensão completa.

3. Eu me lembro dos acontecimentos...
a) como uma impressão geral ou uma essência do que ocorreu.
b) como vivências em detalhes ou as palavras literais do que se desenrolou.

4. Eu às vezes...
a) me preocupo tanto com novas possibilidades que me esqueço de considerar os aspectos práticos.
b) me concentro tanto nos fatos que me esqueço das novas possibilidades.

RESPOSTAS E INTERPRETAÇÕES

Maior número de a — você é um tipo intuitivo e tende a se preocupar com o que é possível, novo, e com o futuro. Você provavelmente gosta de pensar em termos abstratos ou teóricos e é bastante criativo. Não se importa se as novas idéias não têm uma aplicação óbvia e inclina-se a adotar novas tecnologias. Você gosta de conhecer o seu destino, mas não se preocupa em como chegar lá.

Maior número de b — você é um tipo sensitivo, está em sintonia com a realidade e a experiência da realidade física cotidiana, e tende a se preocupar com o que é real, presente, atual e verdadeiro. Você provavelmente tem uma ótima memória para detalhes, uma boa capacidade de compreensão dos fatos e é bom em distinguir os aspectos práticos de um problema. Você se interessa em conhecer o caminho para chegar ao seu destino.

5. Eu sou...
a) interessado em fazer coisas novas e diferentes.
b) interessado em fazer coisas práticas e de modo pragmático.

6. Eu me interesso mais pelo...
a) futuro e as suas possibilidades.
b) presente e as suas realidades.

⭐ Para melhorar

1. Se você é do tipo sensitivo, aumente a sua intuição concentrando-se no futuro — você não pode vivenciá-lo e não existem fatos ou detalhes para distraí-lo. Faça um plano de onde gostaria de estar numa determinada época do próximo ano, profissional e pessoalmente. Tome nota de um acontecimento e uma emoção correspondente a ele (isto é, "mudar de emprego — ansiedade" ou "mudar de apartamento — excitação").

2. Todo mundo sente a intuição de maneira diferente — um arrepio na pele; um frio no estômago; vozes interiores; atração ou aversão irracional por uma pessoa que acabou de conhecer; soluções repentinas, inspiradas; e imagens mentais. Registre as ocasiões em que uma dessas sensações lhe ocorrer e o que significa para você.

Sua inteligência criativa

Depois de ter concluído todos os testes sobre a inteligência criativa, você pode obter um perfil dos seus resultados e ter uma visão global dos seus pontos positivos. Assinale as quadrículas de cada um dos seus perfis nos testes.

- Se a maioria de seus pontos coincidirem com a coluna "Médio", você tem uma inteligência criativa de satisfatória a boa e prefere o raciocínio lógico e linear.
- Se a maioria dos seus pontos caírem na coluna "Excelente", você possui uma inteligência criativa superior. Você valoriza mais o pensamento criativo que o lateral.

	Médio ✓	Excelente ✓
Teste 1 (pp. 164-65)		
Teste 2 (pp. 166-67)		
Teste 3 (pp. 168-69)		

Desenvolvendo e aprimorando a inteligência criativa

Ser capaz de separar o pensamento divergente do convergente permite a você aplicar cada um deles exclusivamente no momento adequado no processo de tomada de decisão. Suspenda o seu julgamento e crie uma porção de idéias, assim você pode julgá-las e avaliá-las depois. A solução de problemas é boa quando acontece com o máximo de soluções à escolha dentre as possíveis.

Se você tem uma inteligência criativa de satisfatória a boa, tome cuidado para não sufocar a criação de idéias baseando os seus valores e impressões sobre o que não vai funcionar. Isso mata a criatividade.

Se você possui uma inteligência criativa superior, tente estimular os outros a pensar criativamente também. No trabalho, gaste algum tempo com os colegas para, por exemplo, soltá-los um pouco e ajudá-los a pensar em termos de brainstorming.

Tratando com as crianças

Embora os pequenos sejam naturalmente criativos, o processo educacional privilegia o pensamento lógico. Jogos criativos e imaginativos (pintura ou confecção de fantasias, por exemplo) são os passos iniciais fundamentais para ajudar as crianças a se orientar criativamente. Quando elas estiverem mais crescidas, e começarem a aprender sobre dedução e causa e efeito, tente ensinar-lhes o pensamento criativo:

- Discutindo opções para desenvolver as idéias. Quantos tipos diferentes de brinquedos existem? De que maneiras as pessoas podem viajar?
- Estimulando-as a pensar e agir de modo independente (dentro dos limites das normas e da segurança). Gaste um dia com uma criança e permita-lhe ditar o que fazerem e aonde irem.
- Pergunte às crianças como elas preparariam uma refeição sem eletricidade, potes, panelas, frigideiras.
- Coloque as crianças em contato com diferentes culturas e comunidades, de modo que percebam as maneiras diversas de se comportar e viver. Se vocês moram na cidade, procurem visitar um bairro étnico (chinês, japonês, árabe etc.); se moram no campo, visitem uma fazenda especializada.

Sua inteligência musical

Depois de concluir os testes, você provavelmente já tem uma boa impressão da sua inteligência musical. Veja se a sua impressão é correta marcando as quadrículas relativas aos seus resultados.

- Se você marcou 1-2 vezes a coluna "Médio", então tem uma inteligência musical de satisfatória a boa. É provável que goste de música simplesmente no nível emocional e não no nível técnico.
- Se marcou 2 vezes a coluna "Excelente", então tem uma inteligência musical superior. É provável que goste de todos os aspectos da música, emocionais e técnicos, e é bem capaz que componha também.

	Médio ✓	Excelente ✓
Teste 1 (pp. 170-71)		
Teste 2 (pp. 172-73)		

Desenvolvendo e aprimorando a inteligência musical

A educação musical está relacionada aos aperfeiçoamentos das habilidades espacial e lógica. As escolas na Hungria, por exemplo, que incorporam uma ampla educação musical desde o jardim-de-infância, têm alunos que apresentam um desempenho superior em assuntos científicos que nos outros países.

Se você tem uma inteligência musical de satisfatória a boa, decida se quer mais aprimorar o seu ouvido musical ou o seu ritmo. Para praticar, ouça diversos tipos de sons, identificando-os e depois reproduzindo-os para desenvolver o seu ouvido. Também pode comprar um diapasão, aprender uma determinada nota, e ouvi-la em diferentes tipos de música. Desenvolva o seu sentido de ritmo prestando mais atenção a ele: ouça uma música e concentre-se na batida; adquira o hábito de acompanhar o ritmo com as mãos ou os pés.

Se você tem uma inteligência musical superior, será que a está aplicando a todos os setores da sua vida? Se gosta de ouvir música, tente cantar, ou tocar um instrumento musical. Se já toca um instrumento, tente compor as suas próprias canções. Se já compõe, estude a possibilidade de viver do seu talento.

Tratando com as crianças

As crianças adoram fazer e ouvir música. As crianças menores adoram as canções de brincar e bater palmas no ritmo. As maiores gostam de dançar e cantar canções simples. Você pode, por exemplo, realmente ajudar a encorajar o talento musical delas:

- Fazendo os próprios instrumentos musicais. Usar caixas e latas como bateria; improvisar violões com caixas vazias; fazer chocalhos com pedras ou botões dentro de recipientes.
- Mostrando às crianças que podem produzir diferentes tipos de sons com o corpo. Bata palmas, estale os dedos, dê palmadas nas coxas e soque os pés.
- Encorajando as crianças a ouvir e fazer canções para lembrar coisas como números e letras.

Sua inteligência naturalista

Tomara que você tenha gostado de saber mais a respeito da sua inteligência naturalista. Preenchendo as respectivas quadrículas dos seus dois testes, você terá uma visão geral dos seus pontos fortes nesse campo.

• Se você assinalou 1-2 vezes a coluna "Médio", então tem uma inteligência naturalista de satisfatória a boa. Você gosta da natureza pela sua beleza, em vez de tentar compreendê-la ou classificá-la.

• Se você assinalou 2 vezes a coluna "Excelente", então tem uma inteligência naturalista superior. Você provavelmente tem um trabalho ou um passatempo relacionados ao seu amor ou interesse pela natureza.

	Médio ✓	Excelente ✓
Teste 1 (pp. 174-75)		
Teste 2 (pp. 176-77)		

Desenvolvendo e aprimorando a inteligência naturalista

Um dos equívocos em relação à natureza e à ciência é que tenham a ver apenas com respostas — na verdade, elas têm a ver com fazer perguntas. As pessoas que têm uma inteligência naturalista observam e questionam. Isso está ligado à inteligência lógica, uma vez que a capacidade de ordenar e classificar é um componente do raciocínio lógico.

Se você tem uma inteligência naturalista de satisfatória a média, aprenda a fazer perguntas. A sua curiosidade é fundamental para ficar em sintonia com a natureza. Pense a respeito disso e pesquise temas sobre os quais sempre pensou mas nunca chegou a entender. Por que as nuvens têm formas diferentes? Por que a neve se acumula no pico das montanhas? Por que os pássaros cantam?

Se você tem uma inteligência naturalista superior, provavelmente ama a natureza desde criança. Considere se ainda ouve o seu chamado, como lhe acontecia na infância. Procure reviver essa emoção. Adquira (ou encontre) um animal de estimação, uma jardineira para a janela, ou apenas cuide do jardim ou do quintal. Uma carreira envolvendo o mundo natural pode até ser uma opção viável para você.

Tratando com as crianças

Os pequenos sentem uma grande empatia em relação à natureza e adoram as atividades ao ar livre. Transforme uma simples ida ao comércio em uma experiência enriquecedora e instrutiva, chamando a atenção delas para o tempo, o meio ambiente e todos os seres vivos que encontrarem pelo caminho. Você pode ajudá-las a desenvolver a sua inteligência naturalista, por exemplo:

• Mantendo um diário e comparando o tempo real com o previsto na TV.
• Colocando uma tulipa ou um narciso brancos na água com anilina colorida para observar como o corante sobe pelo caule da planta até chegar às pétalas das flores.
• Visitando museus de ciência e história natural, uma reserva de animais ou o jardim botânico.
• Saindo para passeios ao ar livre e tomando nota de todos os insetos e bichos encontrados pelo caminho.
• Mantendo um livro de recortes com uma coleção de folhas e flores. Identificando os nomes das plantas de que procedem e anotando esses nomes ao lado de cada espécime.

Sua inteligência intuitiva

Estabelecer o perfil da sua inteligência intuitiva lhe dá uma compreensão maior de como costuma aplicar essa faculdade e pode lhe sugerir algumas idéias de como desenvolvê-la no futuro. Disponha os resultados dos seus testes na tabela desta página.

- Se você marcou 1-2 vezes na coluna "Médio", então a sua inteligência intuitiva é de satisfatória a boa. É provável que você seja uma pessoa mais prática, alguém que se preocupa com detalhes e fatos.
- Se você marcou 2 vezes a coluna "Excelente", então a sua inteligência intuitiva é superior. Você provavelmente é uma pessoa de "possibilidades", alguém que se preocupa com a situação como um todo.

	Médio ✓	Excelente ✓
Teste 1 (pp. 178-79)		
Teste 2 (pp. 180-81)		

Desenvolvendo e aprimorando a inteligência intuitiva

A intuição é um recurso extremamente valioso. Até pouco tempo, ela era pouco considerada por ser muito abstrata e por não existirem provas suficientes sobre a sua existência. Aprenda a desenvolver a sua intuição natural de modo que ela se manifeste com mais facilidade, mas lembre-se de que você não pode "fazê-la" funcionar porque ela se situa no fundo do seu subconsciente.

Se você tem uma inteligência intuitiva de satisfatória a boa, os seus pontos fortes provavelmente relacionam-se ao raciocínio lógico e o senso prático, portanto aprenda a dar tempo e espaço ao seu subconsciente para filtrar as informações que o seu cérebro armazenou. Permita-se no mínimo um dia para ponderar sobre uma situação, formular um plano e depois decidir sobre quais providências tomar.

Se você tem uma inteligência intuitiva superior, certifique-se de aplicá-la à sua vida pessoal e profissional. Há ocasiões em que as decisões e relações profissionais podem ser influenciadas pela sua intuição, assim como há momentos em que as suas escolhas e relacionamentos pessoais podem se beneficiar de uma maneira de pensar mais intuitiva.

Tratando com as crianças

Os pequenos são naturalmente intuitivos porque o seu raciocínio lógico ainda está na infância. Você pode assegurar que essa capacidade inata permanece com elas ao longo de toda a vida, alimentando e valorizando o pensamento intuitivo, o que pode ser esquecido no ambiente educacional que é voltado para a dedução lógica. Você pode desenvolver a inteligência intuitiva delas, por exemplo:

- Chamando a atenção para o todo em lugar dos detalhes. Discuta os seus planos e objetivos para o dia com os seus filhos, em vez de apenas colocá-los no carro de manhã.
- Não menosprezando os pressentimentos das crianças, a sua simpatia ou antipatia pelas pessoas. Discuta a maneira de pensar delas e o porquê de raciocinarem assim.
- Dando tempo para as crianças pensarem antes de pedir para tomarem uma decisão. Ao levá-las para dormir, explique que o cérebro delas trabalha subconscientemente para organizar as coisas para elas.

Qual é o seu estilo de aprendizagem?

Uma das características mais notáveis e úteis da aplicação da teoria da inteligência múltipla ao aprendizado e desenvolvimento dos adultos é a identificação dos pontos fortes corporais e cognitivos de cada pessoa por meio de um estilo de aprendizagem preferido da pessoa. Você acha que o seu trabalho atual não contribui para melhorar os seus talentos? Tem dificuldade de se concentrar? Surpreende-se tendo de interpretar o que os outros dizem quando lhe explicam alguma coisa? Então você está insistindo numa formatação das informações (escrita ou verbal) que não reflete o seu estilo de aprendizagem preferido. Descubra qual é o seu estilo e comece a adequar e organizar as informações de uma maneira que sejam mais acessíveis ao seu cérebro e de modo que lhe possibilite apreender mais e melhor os conhecimentos.

Os estilos de aprendizagem são as diferentes maneiras de recordar as informações. Você pode considerar que uns estilos atuam em conjunto ou complementam outros estilos: por exemplo, as pessoas com inclinação musical também podem ser naturalmente predispostas a um estilo de aprendizagem numérico.

Sessenta por cento da população exibe um estilo de aprendizagem lingüístico. Na sua grande maioria, essas pessoas aprendem por estímulos visuais e têm mais facilidade de adquirir conhecimentos por escrito, fazendo anotações, desenhando diagramas e figuras e tomando nota mesmo quando têm material impresso à disposição. Elas precisam sentar-se na sala de aula convencional e observar a linguagem corporal e as expressões faciais do professor para assimilar o conteúdo do que está sendo ensinado. É possível que você se inclua nesta categoria, mas faça o teste ao lado e descubra o seu estilo de aprendizagem preferido.

AVALIE O SEU PERFIL

Assinale as frases que mais se aplicam a você.

- [ ] 1. Gosto de fazer tudo de maneira sistemática.
- [ ] 2. Acho fácil fazer contas de cabeça.
- [ ] 3. Adoro palavras cruzadas.
- [ ] 4. Costumo ser o apaziguador nas discussões dos meus amigos.
- [ ] 5. Sei controlar os meus humores.
- [ ] 6. Estou sempre inquieto e andando de um lado para outro.
- [ ] 7. Uso a música para expressar sentimentos.

- [ ] 1. Costumo desenhar para explicar as coisas.
- [ ] 2. Gosto de me expressar por números.
- [ ] 3. Aprendo muito em palestras, seminários e apresentações.
- [ ] 4. Gosto de atividades e esportes em grupo.
- [ ] 5. Eu me conheço muito bem.
- [ ] 6. Aprendo melhor experimentando ou na prática.
- [ ] 7. Estou sempre lembrando de uma música.

- [ ] 1. Gosto de quebra-cabeças, jogos de computador e de resolver problemas de lógica.
- [ ] 2. Gosto de problemas, adivinhações e enigmas matemáticos.

APÊNDICE 1

- [ ] 3. Tenho facilidade de me expressar por escrito.
- [ ] 4. Sou bom em convencer as pessoas das coisas.
- [ ] 5. Gosto muito da minha própria companhia.
- [ ] 6. Imito as expressões faciais, gestos e modos das pessoas.
- [ ] 7. Bato com as mãos e pés quando ouço música.

- [ ] 1. Tenho um bom senso de direção.
- [ ] 2. Acompanho as flutuações do mercado de ações.
- [ ] 3. Gosto de discussões e debates.
- [ ] 4. As pessoas me procuram para pedir conselhos.
- [ ] 5. Gosto de trabalhar sozinho, com tempo para pensar.
- [ ] 6. Consigo sensibilizar as pessoas sempre que converso com elas.
- [ ] 7. Percebo quando alguém canta desafinado.

Anote os números das questões assinaladas. Calcule o total marcado para cada tipo.

Número total de 1 ___ inteligência conceitual
Número total de 2 ___ inteligência numérica
Número total de 3 ___ inteligência lingüística
Número total de 4 ___ inteligência emocional
Número total de 5 ___ inteligência pessoal
Número total de 6 ___ inteligência física
Número total de 7 ___ inteligência musical

INTERPRETAÇÃO DOS PERFIS

Se a maior parte das suas escolhas foi de 1, o seu estilo de aprendizagem é conceitual. Você aprende melhor identificando padrões e relações, classificando, ordenando e trabalhando com figuras e quadros. Faça um diagrama do que quer aprender num diagrama lógico.

Se a maior parte das suas escolhas foi de 2, o seu estilo de aprendizagem é numérico. Você aprende melhor em formato numérico, contando e comparando dados. Converta o que quer aprender em números.

Se a maior parte das suas escolhas foi de 3, o seu estilo de aprendizagem é lingüístico. Você aprende melhor vendo, lendo, falando, escrevendo e ouvindo. Grave em fita o que quer aprender e toque sempre no carro.

Se a maior parte das suas escolhas foi de 4, o seu estilo de aprendizagem é emocional. Você aprende melhor em grupo, trocando idéias ou debatendo sobre as questões. Entre para um curso noturno ou grupo de estudos.

Se a maior parte das suas escolhas foi de 5, o seu estilo de aprendizagem é pessoal. Você aprende melhor trabalhando sozinho, no seu espaço pessoal, usando a reflexão e a auto-análise. Faça um curso por correspondência, onde possa estudar no seu ritmo.

Se a maior parte das suas escolhas foi de 6, o seu estilo de aprendizagem é físico. Você aprende melhor pelo toque, pelo movimento e fazendo as coisas funcionar. Decida em silêncio sobre o que quer aprender, se for o caso.

Se a maior parte das suas escolhas foi de 7, o seu estilo de aprendizagem é musical. Você aprende melhor quando ouve música, um ritmo, uma melodia e cantando. Toque música de fundo enquanto estuda ou componha canções sobre o que gostaria de lembrar.

Mais testes e avaliações

FAZER TESTES É CADA VEZ MAIS FREQÜENTE, especialmente em países ocidentalizados. É bastante comum hoje em dia que lhe peçam (ou aos seus filhos) para fazer testes na escola ou no trabalho, ou você pode simplesmente submeter-se a um teste por pura curiosidade — foi esse o motivo de ter escolhido este livro para ler! Portanto, é importante que você tome consciência de quem vai usar os testes, os motivos para isso, os tipos de testes que existem e as maneiras de aumentar as suas possibilidades de obter êxito.

Quem usa os testes e por quê

Hoje em dia é uma prática comum as empresas aplicarem testes psicológicos para conhecer melhor os seus potenciais ou atuais funcionários. Os testes fornecem um campo de atuação num nível que o desempenho de qualquer um pode ser avaliado. Cada candidato é diferente, ainda que possam existir semelhanças entre eles, as quais podem ter importantes conseqüências de ordem prática. Se você for empregar pessoas para digitar dados em computador, por exemplo, antes de mais nada vai procurar aquelas que tenham melhor coordenação motora entre as mãos e os olhos. Se for recrutar novos diretores, no entanto, entre as suas considerações haverá uma série de fatores desde boa capacidade de relacionamento, habilidade numérica e aptidão verbal.

Os testes também são usados nos colégios e faculdades para avaliar e qualificar os alunos. São instrumentos que podem inicialmente compor o processo de seleção, mas depois ser aplicados para distribuir os alunos nos cursos mais adequados, e posteriormente poderão ser usados para o acompanhamento dos progressos obtidos. Os testes são indicados na orientação vocacional, ajudando os estudantes a conhecer os seus pontos fortes e fracos, de modo a serem capazes de fazer escolhas sensatas e coerentes com a carreira profissional que vão abraçar.

Assim como na orientação vocacional, os testes também são aplicados para que os adultos possam se conhecer e compreender melhor. Digamos que você queira saber por que acha determinadas tarefas mais fáceis do que outras, por que prefere trabalhar ou aprender de determinada maneira e quais são os seus talentos ocultos, para poder desenvolvê-los.

Tipos de testes

Os resultados dos testes são usados para fundamentar decisões importantes na vida. Deve-se esperar que os testes profissionais atendam exatamente os mesmos padrões de qualquer outro instrumento profissional. Se você fosse fazer uma cirurgia, por exemplo, você esperaria que o bisturi do médico tivesse um corte mais afiado que uma faca de cozinha. Existem métodos padronizados de acompanhar o grau de sofisticação real dos métodos de avaliação e os testes que satisfazem a esses padrões exatos são chamados de testes psicológicos profissionais. Esses devem ser os únicos testes a serem usados profissionalmente em colégios, faculdades e empresas, porque se mostraram válidos (medindo com precisão o que se propõe medir), confiáveis (os resultados são seguros e estáveis ao longo do tempo) e justos (os testes não fazem discriminação de sexo, raça ou credo).

Cada país tem uma corporação profissional de psicólogos que regula o uso e a distribuição dos testes. No Brasil, todos os testes a serem utilizados devem passar pela avaliação e aprovação do Conselho Federal de Psicologia (CFP). Os requerentes, autores, editores, laboratórios e responsáveis técnicos de testes psicológicos, comercializados ou não, podem encaminhá-los ao CFP, protocolando o requerimento dirigido ao presidente do Conselho. O público geral não pode adquirir ou ter acesso garantido a esses testes, porque a sua administração e interpretação requer formação psicológica especializada. Essa restrição também assegura que nenhum candidato tenha conhecimento dos itens antes de começar a sessão de avaliação.

Existem quatro tipos principais de testes que são atualmente usados na educação e pelas empresas:
- Testes de personalidade, desenvolvidos para medir as preferências e tendências individuais;
- Testes de aptidão, desenvolvidos para averiguar o potencial para o desenvolvimento de determinadas habilidades;
- Testes de habilitação, desenvolvidos para determinar habilidades e aspectos positivos específicos;
- Testes de capacitação, desenvolvidos para medir aptidão escolar e conhecimentos acadêmicos.

AUMENTANDO AS SUAS POSSIBILIDADES DE ÊXITO

Para obter os melhores resultados, é realmente importante que os resultados dos seus testes reflitam precisamente você. Aqui são apresentados alguns conselhos sobre como obter o máximo proveito dos testes:

1. Pratique antecipadamente testes do tipo a que irá se submeter.

2. Alimente-se e durma bem antes do teste, para ter energia e estar com a mente descansada.

3. Leia as questões com atenção. Certifique-se de entender o que está sendo perguntado antes de responder. Se forem apresentadas questões como exemplo, peça ao examinador para ajudá-lo se não entendeu um determinado item.

4. Alguns testes penalizam respostas erradas, o que é estipulado nas instruções. Nestes testes, avalia-se mais os conhecimentos do que a velocidade. Reserve algum tempo para revisar todas as respostas antes de terminar o prazo estipulado.

5. Algumas questões são deliberadamente difíceis! Pule-as, passando a uma questão mais fácil. Volte para os itens mais difíceis depois de responder a todas as questões.

6. Quando responder a perguntas sobre as suas preferências pessoais num teste de personalidade, seja honesto consigo mesmo. As pessoas que dão certo num cargo o fazem porque a sua personalidade combina genuinamente com os valores da empresa e as exigências do cargo. Não faz sentido fingir. Você só estará enganando a si mesmo!

7. Exija conhecer os seus resultados, uma vez que os examinadores têm o dever ético de fornecê-los.

Índice remissivo

A – C

ambiente, inteligência e 8-9
amizades 94-5
ansiedade 124
aritmética mental 37-9
   multiplicação 42-3
   proporções 44-5
   soma 40-1
   subtração 40-1
autoconsciência 109-10
   avaliando a 112-3
autocontrole 109-10
   expressando emoções 118-9
   mudando humores 122-3
   otimismo/pessimismo 120-1
brigas, relacionamentos a dois 84-5
capacidade de negociação 102-3
cerebelo 7
cérebro 6-7
colegas 100-1
comunicação 6
   com o companheiro 82-3
   expressões faciais 66-7
   jogos de palavras 64-5
   métodos de 68-9
conflito, relacionamentos a dois 84-5
coordenação 133-4
   corporal 142-3
   mãos-olhos 140-1
crianças: inteligência conceitual 35
   inteligência criativa 182
   inteligência emocional 106
   inteligência física 157
   inteligência intuitiva 185
   inteligência lingüística 77
   inteligência musical 183
   inteligência naturalista 184
   inteligência numérica 53
   inteligência pessoal 131
   relacionando-se com 92-3

D – G

decodificação, raciocínio abstrato 28
depressão 124
destreza manual 133-4
   tarefas delicadas 136
   usando a força 138-9
dimensões, transformando 26-7
discursos, fazendo 74-5
discussões, relacionamentos a dois 84-5
emoções, expressando 118-9
emoções subjetivas 109-10
   ansiedade e depressão 124
   pensando com clareza 126-7
   temperamento natural 128-9
equilíbrio 133-4
   equilibrando objetos 144
equilíbrio corporal 146-7
   coordenação 142-3
   equilibrando o corpo 146-7
escrever sobre si mesmo 72-3
estilo de aprendizagem 186-7
expressão pessoal 56-7
   escrever sobre si mesmo 72-3
   fazendo discursos 74-5
   fluência 70-1
expressões faciais, interpretar 66-7
fazendo discursos 74-5
flexibilidade 133-4, 152-3
   aprimorando 154-5
força física 138-9
frações 44-5
genética, inteligência e 8
gestos 66-7

H – J

hemisférios cerebrais:
   direito 7, 20-1
   esquerdo 7, 20-1, 34
humores, mudando 122-3
   influências 96-7
inteligência conceitual **12-35**
   aprimorando 34-5
   avaliando 34-5
   decodificação 28-9
   definição 14-5
   desenvolvendo em crianças 35
   duas dimensões 22-3
   importância da 14-5
   labirintos 30-1
   padrões 18-9
   seqüências 18-9
   transformando dimensões 26-7
   três dimensões 24-5
inteligência criativa **159-60**
   brainstorming 166-7
   desenvolvendo 182
   importância da 162
   pensamento lateral 164-5
inteligência emocional **78-107**
   autoconsciência 112-3
   bons amigos 94-5
   capacidade de negociação 102-3
   comunicação a dois 82-3, 84-5
   conflitos 84-5
   desenvolvendo 106
   desenvolvendo em crianças 106

importância da 81
influências humorais 96-7
liderança 104-5
pontos fracos do relacionamento 86-7
relacionamentos com os pais 88-9
relacionamentos entre irmãos 90-1
relacionamentos profissionais 100-1
relacionando-se com crianças 92-3
sociabilidade 98-9
inteligência espacial 10
inteligência física 10, **132-57**
   avaliando 156
   aumentando a flexibilidade 154-5
   brainstorming 166-7
   coordenação corporal 142-3
   coordenação mãos-olhos 140-1
   desafiando os seus reflexos 150-1
   desenvolvendo 156-7
   desenvolvendo em crianças 157
   equilibrando objetos 144
   equilíbrio corporal 146-7
   flexibilidade 134, 152-5
   importância da 135
   pensamento lateral 164-5
   resposta rápida 148-9
   tarefas delicadas 136
   usando a força 138-9
inteligência intuitiva **178-81**
   desenvolvendo 185
   importância da 163
   inteligência 159, 161
inteligência lingüística 10, **54-77**
   avaliando 76

definição 56-7
desenvolvendo 76-7
desenvolvendo em crianças 77
discursos, fazendo 74-5
enigmas verbais 62-3
escrever sobre si mesmo 72-3
fluência 70-1
importância da 57
interpretando expressões faciais 66-7
jogos de palavras 64-5
métodos de comunicação 68-9
poder verbal avançado 60-1
usando palavras 58-9
inteligência musical 10, **159-61**
   desenvolvendo 183
   importância da 162
   ouvido absoluto 170-1
   ritmo 172-3
inteligência naturalista **159-61**
   aplicando 176-7
   desenvolvendo 184
   importância da 162-3
   sensibilidade à natureza 174-5
inteligência numérica 10, **36-53**
   avaliando 52-3
   brincando com números 46-7
   definição 38-9
   desenvolvendo 52-3
   desenvolvendo em crianças 53
   importância da 39
   multiplicação 42-3
   números na vida cotidiana 48-9
   padrões 50-1
   proporções 44-5
   soma 40-1

subtração 40-1
inteligência pessoal 10, **108-31**
   ansiedade e depressão 124
   avaliando 130
   autoconsciência 112
   desenvolvendo 130-1
   desenvolvendo em crianças 131
   expressando emoções 118-9
   importância da 110-1
   mudando humores 122-3
   otimismo/pessimismo 120-1
   pensando com clareza 126-7
   reconhecendo pensamentos 116-7
   solidão 114-5
   temperamento natural 128-9
inteligência: definição 6-7
   ambiente e 8-9
   desenvolvendo 9
   genética 8
jogo de Kim 168-9
jogos de palavras 64-5

L — O

labirintos 30-1
liderança 104-5
multiplicação 42-3
otimismo 120-1
ouvido absoluto 170-1

P — S

padrões 18-9
   palavras 60
   raciocínio abstrato 32-3
   raciocínio numérico 50-1
palavras cruzadas 62

pensamento bidimensional 22-3
pensamento: brainstorming 166-7
　lateral 164-5
pensamento criativo, jogo de Kim 168-9
pensamento lateral 164-5
pensamento tridimensional 24-5
　transformando dimensões 26-7
pensando com clareza 126-7
pessimismo 120-1
poder verbal 56-7
　avançado 60-1
　enigmas verbais 62-3
　usando palavras 58-9
programas de incentivo 8
proporções 44-5
raciocínio abstrato 12-3
　classificando coisas 32-3
　decodificação 28
　labirintos 30-31
raciocínio espacial 12-3
　bidimensional 22-3
　transformando dimensões 26-7
　tridimensional 24-5
raciocínio lógico 12-3, 16-7
raciocínio numérico 37, 40
　brincando com números 46-7
　números na vida cotidiana 48-9
　padrões 50-1
reconhecendo pensamentos 116-7
　solidão 114-5
reflexos 133-4
　desafiando os seus 150-1
　resposta rápida 148-9
relacionamentos a dois 79-80
　comunicação 82-3

estilos de conflitos 84-5
pontos fracos do relacionamento 86-7
relacionamentos com os pais 88-9
relacionamentos entre irmãos 90-1
relacionamentos familiares 79-80
　relacionamentos com os pais 88-9
　relacionamentos entre irmãos 90-1
　relacionando-se com crianças 92-3
relacionamentos profissionais 79, 81
　administrando 100-1
　capacidade de negociação 102-3
　liderança 104-5
relacionamentos sociais 79-80
　bons amigos 94-5
　influências humorais 96-7
　sociabilidade 98-9
resposta rápida 148-9
ritmo 172-3
seqüências 18-9
sistema límbico 6-7
sociabilidade 98-9
solidão 114-5
soma 40-1
subtração 40-1

T – Z

tarefas delicadas 136
temperamento cerebral equilibrado 34
temperamento natural 128-9
teoria das inteligências múltiplas 10-1
testes e avaliações 188-9
tipo cerebral direito, avaliando o 34

Agradecimentos

A autora gostaria de agradecer:

À dra. Kirsty Smedley, psicóloga clínica. Seu amplo conhecimento em inteligência e avaliações psicológicas e suas orientações profissionais foram de um valor inestimável. Por acaso, ela também é minha irmã. À minha família e amigos, por deixarem-me tempo livre para escrever; ao meu marido, Chris; aos meus pais, Maggie e Sean; a Pat e a Tom; a Kathryn e David; a Sophie e Chris; a Pete e Emma; e a Sue.

Chris A – Espero que sua fé tenha sido justificada.

E, finalmente, à equipe da Carroll & Brown:
Minha dedicada e talentosa editora, *Anna Amari-Parker*; *Amy Carroll*, que organizou o livro de forma tão apurada; *Frank Cawley*, que coordenou o elegante projeto gráfico e as ilustrações; e *Bala Tharan*, pelas suas idéias sobre inteligência numérica.

Carroll & Brown gostaria de agradecer:

Aos assistentes editoriais:
Tom Broder, Stuart Moorhouse

Ilustrações:
(Capítulos 1 e 2) *Jim Cheatle*
(Capítulo 3) *Neil A Webb em seu trabalho de estréia*
(Capítulo 4) *Jacey em seu trabalho de estréia*
(Capítulos 5 e 6) *Frank Cawley*
(Capítulo 7) *Frank Cawley/Neil A Webb*
(Esculturas de papel) *Gail Armstrong nas Ilustrações*

Ilustrações do cérebro humano das páginas 6-7
© Reader's Digest Association

Produção
Karol Davies, Nigel Reed

Tecnologia de Informação
Paul Stradling

Fotografia
Jules Selmes

Índice Remissivo
Richard Bird